그림책 다시 보고 음미하기

구월여자중학교 그림책 테라피

그다음(그림책 다시 보고 음미하기)

지은이   구월여자중학교 그림책 테라피

발　행   2024년 01월 04일
펴낸이   한건희
펴낸곳   주식회사 부크크
출판사등록   2014.07.15.(제2014-16호)
주　소   서울특별시 금천구 가산디지털1로 119 SK트윈타워 A동 305호
전　화   1670-8316
이메일   info@bookk.co.kr

ISBN   979-11-410-6426-6

www.bookk.co.kr
본 책은 인천광역시교육청 청소년 인문 실험 및 동부교육지원청 교사, 학생 저자 책쓰기
프로젝트의 일환으로 만들어졌습니다.

그 다 음
그림책 다시 보고 음미하기

BOOKK

차례

머리말 5

머리말

"새는 알에서 나오기 위해 투쟁한다. 알은 새의 세계이다. 누구든지 태어나려고 하는 자는 하나의 세계를 파괴하여야 한다. 새는 신을 향해 날아간다."

소설 <데미안>에 나오는 그 유명한 문장입니다. 그런데 노벨 문학상 수상자인 헤르만 헤세가 아마추어 미술가였다는 사실을 알고 계실까요? 헤세는 글을 쓰다 지칠 때면, 제대로 미술교육을 받지 않았어도 천진한 실력으로 수채화를 그려내곤 했다고 합니다. 그러면서 자신의 정신적인 갈등과 상처에서 숨통을 틔웠다고 하지요.

2008년 독서치료에 관심을 갖기 시작하면서, 최근에는 아이들과 <그림책 테라피>라는 집단을 2년 간 꾸려오고 있습니다. 요즘은 누구나 스마트폰이나 컴퓨터 게임 때문에 책 한 권 읽기가 어렵다고 합니다. 그런데 상대적으로 글밥이 적은 그림책은 얼마나 만만한지 모릅니다. 더구나 알록달록한 색상과 아름다운 그림은 남녀노소 누구에게나 호기심과 감성을 즐겁게 해주면서도 적지 않은 감동을 주는 매력이 있습니다.

청소년기 아이들은 그림책을 진작에 졸업한 연령대입니다. 엄마들이 흑백 그림책부터 전래동화, 명작동화를 골라 읽어 주던 시기가 엊그제 같은데 아이들은 혼자 자란 것 마냥 독립을 선

언합니다. 그런 시기의 아이들에게 그림책을 들이밀고 "같이 읽을래?" 하면, 처음에는 좀 시시해하다가도 이내 자신의 마음을 울리는 그림과 내용 앞에서 무장해제가 되기 일쑤입니다.

　아이들과 함께했던 <그림책 테라피> 시간은 "읽고, 걷고, 쓰는" 행위를 하는 우리에게 참으로 따뜻하고 다정한 위로를 건네주었습니다. 그리고 마침내 그 위로에 힘을 얻어 만들어 낸 창조 작품을 이 자리에서 나누어 봅니다. 최고의 작품은 아니지만, 1년 동안 성실하게 읽고, 걷고, 써 내려갔던 시간을 함께 감상해 주세요. 조금씩 성장하는 모습을 함께 지켜보며 응원하는 기쁨을 알게 해준 우리 구월여중 <그림책 테라피> 집단원 아이들에게 진심으로 감사의 인사를 전합니다.

전문상담교사 김미연

마 민 지

구월여중 3학년 7반

나를 소개합니다

푸른 것을 담고자 깊게 뿌리를 내어 맑은 것을
한 움큼 들이쉬고 다시금 염원하던 행복을 찾는다.
뿌리가 맞닿은 곳에는 또 다른 망활건 세계가 있다.
유리처럼 바스라질 듯한 물방울도 부유한다면 살 수 있는
것이 세상이다. 맑은 것을 다시 한 사발 떠서 입이
닿는다. 그것은 목을 축이고 나를 다시금 살아나게 한다.
세상은 완벽하게 한 두가지로 정의할 수 없지만
음과 양이 조화를 이루 듯 붉은 흙과 푸른 물이 뒤섞여
이룬다. 이들이 섞어 탄생하는 밤깔은 오묘하다.

30키로 야민지

하늘을 잃다

언제부터 고개는 굽어
구름 하나 세지 못하며,

하늘 수놓은 별의 자태,
우러러보지도 못하오.

하늘 그린
동경의 청사진은,

순간이 찢어낸
낱개의 종이에 불과할 뿐이니,

이 어찌 순수하다
할 수 있겠소.

언제부터
우리 마음은 비었소.

구멍 뚫린 영혼이
울부짖던 그날,

우리는
하늘을 잃었소.

　　(가끔 나는 차가웠던 그 겨울이 그립다. 겨울날 만
큼은 마음껏 꿈꿀 수 있었기 때문이다. 겨울은, 우리
가 흔히 말하는 어린 시절. 그 새하얀 순간이다. 나
는 내 삶의 순간들을 상상하며 그린다. 그리고 생각
한다. 매 순간의 나를.)

<이름 없는 사람들>을 읽고

제 목: 이름 없는 사람들

저 자: 박 영

출판사: 은행나무

　어느 날 발이 묶였다. 말뚝으로 고정되어 있는 족쇄에서 빠져나갈 수 없었다. 돈다. 또 돈다. 묶여 있는 동안은 오직 제자리를 맴도는 것 뿐이다. 족쇄가 풀리는 날에는 명 받은 대로 완벽한 묘기를 선보여야 한다. 그것을 어기면, 차가운 채찍질을 맞아야 하기 때문이다. 위를 올려다보는 것은 허락되지 않는다. 관중들의 환호 소리가 끝나면 무대는 다시 싸늘해지고, 발은 묶인다. 다시 발이 묶이면 돌고 또 돈다. 발을 디뎠던 곳은 움푹 패였다. 날이 밝아도 돌고 또 돈다. 왜냐하면 발이 묶여 있으니까.

　어느 날 발을 묶고 있던 족쇄가 사라졌다는 것을 알았다. 그러나 달아날 수 없었다. 갈 곳이 없었다. 고향이라 하는 곳으로 돌아갈 수 없었다. 그것은 자유가 아니었다.

　우리는 자유 속에서 살아오고 있다. 하지만 나는 여전히 느낀다. 이것은 자유가 아니라는 것을. 우리를 잡아두는 족쇄를 나

12

는 여전히 느낀다. 그것은 투명하여 보이지 않는다. 그래서 사람들은 그 규율에 얽매여 사는 것을 눈치채지 못한다. 나도 그랬었다. 그러나 지금은 의심이 든다. 내가 과연 자유롭게 살고 있는가? 그 답을 선택하는 것은 우리의 몫이었다.

요즘 학생들은 꿈을 잘 꾸지 않는다는 말을 들었다. 학생의 의무는 공부. 우리는 공부라는 족쇄에 잡혀 유년 시절을 보낸다. 허비가 아닌가. 사람들 대부분은 그 과정에서 무언가를 배우기는커녕, 경쟁심에 휩쓸린다. 왜냐하면, 세상은 투견장과 같이 우리에게 승과 패를 부여하기 때문이다. 이것이 게임인 것처럼, 진 쪽은 잃고 이긴 쪽은 얻는다. 조건이 공부일 뿐이다. 대상이 사람일 뿐이다.

그렇게 우리는 회색빛 도시를 바라보며 얼마 없는 색채를 음미하는 여유조차 빼앗기게 되었다. 나는 그것에 반항했음에도 다시 그 규율을 따르고 있다. 그런 이유 때문이었을까, 책을 보며 일종의 해방감을 느꼈다.

이 책에서 족쇄를 채운 인물은 '재'였다. 하지만 그가 죽은 뒤에는 서유리가, 그 뒤에는 또 다른 누군가가 '재'를 대체할 뿐이다. 사회가 아무리 바뀌어도 세상은 약육강식의 법칙을 유지할 뿐이다. 책뿐만이 아니라, 세상이, 사람이, 서로가 서로에게 족쇄를 채우고 있다. 나는 생각했다.

우리에게 '재'는 누구일까. 직장 상사일 수도 있다. 부모일 수도 있다. 그러나 나는 새삼 느꼈다. 우리 사회에서 '재'는 실체가 있기도 하지만, 대부분 실체 없이 녹아들어 있다. 학교에서, 직장에서, 우리의 모든 삶 속에, 우리는 '재'의 통제와 명령을 받들며 살고 있다. 우리는 자유를 꿈꾸지만, 규율을 받드는 자에 속하지 않으면, 우리가 갈 곳이 없다는 걸 잘 알고 있기에, 학교를 졸업하더라도 부모, 사회, 세계가 원하는 사람이 되기 위해 규율을 따른다. 소설 속 '나'와 똑같다.

결국, 졸업은 해방이 아니다. 학교를 마치고, 그 끝에 도달하는 곳은 승과 패를 가르는 투견장과 다를 게 없다는 것이다. 살아남기 위해 강해져야 한다. 이를 갈고, 실수를 허점으로 잡아 뜯어먹으면, 그제야 승리를 증명하는 포만감이 몰려온다. 그 싸움에는 비방과 냉혹, 싸늘한 굶주림만이 남는다. 결국, 모두 '어쩔 수 없다'는 말로 포장하겠지. 그곳에서 빠져나와 주인을 사체로 만들더라도, 주인 없는 투견이 이름도 없이 떠돌더라도, 목적 없이 살아가더라도. 전부 어쩔 수 없는 것뿐이니까.

나는 이런 세계가 싫었다. 우리 삶에 녹아든 규칙, '재', 서유리, 투견장. 그런 것들 전부. 그래서 나는 그렇게 애썼는가 보다. 그렇게 지배받는 게 싫어서. 하지만, 그렇게 나를 지배하던 '재'를 죽인 이후에 내가 하는 것은.

똑같다.

남들과 똑같다.

결국, 똑같이 앉아서 공부하고, 그것이 미래를 위한 것, 자유를 주는 것이라고 여기지 않는가. 나는 어쩌면 이 소설에 허가 찔렸을지 모른다. 나는 그래서 이 감정을 더 묵힐 것이다. 이것이 한 사람을 얼마나 추악하게 만드는지 기억하고 써 내려가,

나와 같은 감정을 느끼는 사람을 모아 시위를 일으킬 것이다.

 잿더미가 된 거리 뒤에. 방울 달린 목을 맨 시체 장벽 뒤에, 진정한 자유가 있던 것처럼. 나는 아무도 믿지 않을, 느끼지 못할 자유를 위해 대담하게 걸어 나갈 것이다.

 진실은 이곳에 없다. 기필코, 나는 저 장벽을 넘어갈 것이다.

카 모 밀 레 1)

눈을 뜨면 다시 지루한 단칸방. 백색의 천장은 이제 회색빛을 띤 지 오래다. 이제 막 성인이 되었지만, 할 수 있는 것은 아무것도 없다. 단편적인 세상이 콧잔등에 비쳐오면, 고개를 휙 돌려버렸다. 그냥 그렇게 살 뿐이다. 아무것도 아닌 채. 그저 무게가 조금이라도 가벼운 짐이길 바라며, 최대한 구석에 몸을 수그려 존재하기만 하는 것이다.

할 줄 아는 것은 없다. 어릴 적 먹었던 달콤한 군것질거리들이 떠오르면, 손톱을 물어뜯으며 심심함을 달랜다. 입안이 따갑다. 나는 모난 조각들을 삼킨다.

딱. 따각.

건조한 소리를 내며 부스러진다. 이와 이가 부딪치며 사이에 있는 것은 바스러진다.

따각. 딱딱. 뚝.

불안함에 괜히 더 뜯어 문다. 나뭇가지 부러지듯이 부서진다. 마음보다 조급하게 불긋한 속살을 드러낸 손가락이 미워서 깨

---

1) 2월 14일 탄생화. 꽃말: 역경에 굴하지 않는 강인함.

물어 본다. 불안함은 더 짙어졌다. 고립된 선원 같았다. 외톨이 마음 사이로 물은 밀려오는데 할 수 있는 것은 아무것도 없다. 그간 이유는 당연히 아는 것이 없어서였다. 나는 생각했다.

'더 빨리 물이 밀려왔으면.'

물이 빨리 차올라서 아프지 않게 죽여주길 바랐다. 그러나 속으로 생각했다. '나'라는 존재는 편히 죽어갈 가치도 없다고. 헛된 바람이지만, "밀려와라, 더 밀려와라." 그런 말이나 중얼거리고 있다. 그 마음을 아는지 모르는지, 물은 느릿느릿 차오른다. 고문이다. 살을 깨물었다. 쓰라림을 느끼자 신음이 아우성치며 입을 빠져나왔다.

희망을 쪼개며, 문고리가 흔들렸다. 열린 문으로 물은 쏜살같이 빠진다. 기껏 채워놓은 것을 허무하게 놓쳐버린 순간이었다. 손가락 사이로 빠져나가는 물살을 느낀다. 마음의 빈틈으로 흘러내리는 물과 함께 떠내려가고 싶었다. 하지만 생각을 포기했다. 다리가 후들거렸지만, 나는 천천히 일어섰다. 그러나 결국 다시 폭삭 무너졌다.

엄마, 아빠. 나의 가족들. 나는 공손하게 손을 모으고 인사한다. 안녕히 다녀왔냐고. 맨바닥을 들어낸 단칸방은 다시 외로운 빛깔을 띤다. 투명하지도 않다. 탁한 빛깔. 애써 웃어본다. 쓸쓸하다. 눈을 살짝 감아본다. 편안을 바라며 외로운 어둠을 손끝 사이로 비춰본다.

수군거리는 소리가 잠깐 맑아진 마음을 어지럽힌다. 외로운 단칸방, 그리고 무능하고 작은 나. 이제 나에게 세상은 이 단칸방이 전부가 되었다. 부와 권력의 그늘 밑에 있었던 시절도 있었다. 배움을 바라고 친구라는 관계를 맺으며, 그렇게 사는 게 영원할 줄 알았다.

....바보같이. 떠들썩한 학교가 좋았다. 엄격한 선생님이 좋았다. 그저, 평범한 일상이 좋았을 뿐인데. 위기는 갑자기 찾아오더라. 나는 이곳에 오기 전, 그날을 떠올렸다.

  .

언제나처럼 학교가 끝나고 집에 돌아갔었다. 문을 연 나를 마주한 건 미소가 아닌 심란한 표정이었다. 어지러웠다. 정신없이 짐들이 쌓여있었고, 아빠는 창백한 얼굴로 이런저런 말을 주고받고 있었다. 아빠의 전화벨 소리가 들렸다. 요란한 진동음이 공간을 빽빽이 채웠다. 정적이 유지되었다. 나는 어찌할지 몰랐다. 그날은 부모님을 위해 꽃 화분을 하나 사 온 길이었다. 카모밀레. 엄마의 탄생화이기도 했다. 손이 바들거리며 떨렸다. 무슨 일인지 내쳐져 바닥에 나뒹굴기 전까지.

나는 그들이 느끼는 것을 이해하려고 했다. 바닥을 구르는 것은 꽃 화분이었던 도자기 조각들, 포기해버린 다짐, 마주할 일을 알지 못하는 무지한 나. 바보 같은 나, 포기해버린 나.

꽃잎과 함께 여러 가지 것들이 흩어졌다. 꽃가루, 파편, 흙… 그리고 나. 나는 흙더미와 함께 파묻혔다. 그 카모밀레가 언젠가 나였던 것처럼.

나는 눈을 떴다. 그 뒷이야기는 끝이 좋지 못하기 때문이었다. 지금 내가 이 단칸방에 있다는 것만으로도 증명이 됐다. 아빠는 사기를 당했다. 엄청난 돈을 들여 새로 준비한 프로젝트가 한순간의 실수로 폭삭 주저앉았단 말이었다. '이것만 성공하면 앞으로의 걱정은 없어'라고 말하던 그때의 표정과 말투를 물수건으로 지워버린 듯, 아빠의 표정은 유난히 눅눅했다. 곁에 있으면 특유의 퀴퀴한 냄새가 느껴졌다. 넘치던 자신감은 한숨과 함께 날아가 버린 것 같다. 남겨진 것은 텅 빈 자존감과 고여 있는 썩은 물뿐이었다. 나는 그때 한창 갈증에 시달렸다. 고인 물조차 허용되지 않은 나는 억울함이 끝까지 잠긴 목구멍에 부채질했다. 썩은 물은 말라버렸지만, 나는 더위에 시달렸다. 그리고 그 갈증은 아직도 목 안쪽 깊숙이 남아있다. 텁텁한 공기가 메케하게 버티고 있다.

하아.

 숨을 내뱉는다. 따뜻한 숨은 현실과 달리 포근했다.

 다시 현재를 생각했다. 이렇게 허름한 뒷골목의 단칸방에서 살게 된 현실은 너무나 끔찍하다. 그동안 벌어진 모든 일이 믿기지 않았다. 아직 꿈에서 사는 것 같다. 사실 다 꿈이었으면 좋겠다. 아니, 꿈이어야만 했다. 아주 긴 꿈일 것이다. 분명히, 눈을 뜨면 학교의 책상일 것이다. 내 친구가 졸고 있는 나를 깨워줄 것이다. 아니라면 이 모든 게 거대한 자작극일 것이다. 나는 주변인들의 연기에 완전히 속아버린 것이고, 곧 원래의 삶으로 돌아갈 것이다. 나는, 나는…!

...후

숨을 쉬어도 나아지지 않는다. 후추가 날리는 공기를 한껏 들
이켰는지 폐 속에 먼지가 가득 끼어있다. 그 메케한 냄새는 사
람을 더 감정적으로 만들 뿐이었다. 울분이 가득 차오른다. 모
든 게 억울하다. 토로하고 싶다. 본능적인 말이 입 주위를 맴돈
다.

"살려주세요. 살려주세요. 제발 저를 구해주세요. 저는 죽고
싶지 않아요. 제발. 이렇게 살다가는 분명 죽어버릴 거예요. "

본능적인 생존 욕구가 가슴 한가운데서 날뛴다. 얼굴선을 타
고 땀방울인지 눈물인지 모르는 것이 흐른다. 피부가 불타는
듯 따갑게, 눈물은 눈가부터 서서히 녹인다. 나는 원했다. 그들
이 내게 뭐라고 설명해 줬으면 했다. 적어도 난 아무 잘못이
없다고 말해줬으면 했다. 외로웠다. 억울했다. 내가 괜한 짐을
짊어진 것 같았지만, 감히 도망칠 수 없었다.

그러나 마치 운명이 나의 욕구인 것처럼. 원하지 않았지만, 난
언제나 갈망하고 있었다. 인간이라 어쩔 수 없는 것일까. 편안
하고 완만한 삶을 원하면서도 위기와 위험을 원한다. 이것이
정녕 본능인 걸까? 다른 극의 자석과 같이 끌고 끌린다. 서로
정반대의 색을 가졌음에도. 끝과 끝을 상징하면서도, 결국 붙어
버려 떨어지지 않는다. 무엇이 내가 진정 원하는 것인지조차
의심되기 시작했다. 누군가 답을 말해주길 바랐다.

"...이 혼란에서 구해주세요. 내 잘못이 아니라고, 그것이 내가

원하는 게 아니라고 말해주세요…"

집은 한숨을 쉬자 꿈에서 현실로 돌아온 듯 주위가 환해졌다. 외로운 단칸방. 아직 그곳이다. 그 밖으로 나갈 수 없는 것도 같다. 내 눈앞에는 나의 부모라는 자들이 지친 듯 벽에 몸을 기대고 있다. 괜한 기대에 그들에게 나아간다.

.

"...뭘 잘했다고. 쯧. 애초에 원하지도 않았는데..."

익숙한 목소리, 익숙하지 않은 말투. 그 말을 듣자 미쳐버릴 것 같았다. 가식적이지만, 은은한 미소를 띤 채로 나는 "어머니?" 하고 물었다. 들지 못한 척, 잠시 머뭇거리다 말에 답한다.

"그래, 우리 슈카. 무슨 일이니?"

익숙한 목소리, 익숙한 말투. 눈가 주위를 어루만졌다. 척추가 박살 난 듯 꼿꼿이 서 있을 수 없었다. 내게 속삭이는 목소리는 아름다웠지만, 말들은 사악하기 그지없다. 폭풍우에 흔들리는 줄기를 짓밟는 꼴이라니.

"실수였지. 그래 너는 실수였어."

"다 네 탓이야."

"그러니 이제 네 삶을 살아."

 그런 말들에 머리가 핑 돌았다. 두려웠다. 그렇지만, 다시 정신을 차리면 따뜻한 미소를 머금고 바라보는 그들과 눈이 마주칠까 두려웠다. 지금이라도 진실을 따져 무고함을 증명하고 싶었지만, 마비된 듯이 아무것도 할 수 없었고, 뼈마디가 저릿하게 아파졌다.

 …..죄인 또는 실수. 그들의 목소리는 말했다. 사실을 말하고 있는 걸까. 아팠다. 쓰라렸다. 아직 상처가 난 것도 아닌데, 나는 괜히 아파했다. 문득 물이 밀려 들어왔다. 점점 차오른다면, 결국, 알 수밖에 없다면… 지금, 이때 깨닫는 게 좋지 않을까 하고. 힘겹게 목에서 소리를 끌어낸다.

"혹시 제가 실수라고 생각하세요…? 어머니?"

"…"

 답은 들려오지 않는다. 침묵은 의심이라는 큰 구멍을 만들었다. 구멍 사이로 물이 뿜어져 나온다. 잠깐 뭍으로 나온 이성까지 잠겨버린 순간이었다. 인간의 마음을 전부 알 수 있었다. 사실을 전부 아는데 이정표가 과연 필요할까. 순간 모두가 역겨웠다. "이 방관자, 방관자들!" 숨 쉬는 것처럼 죄를 짓는 사람들… 정말이지 역겨웠다.

욱, 우욱⋯

뜨거운 것이 치밀어 오른다. 목구멍을 타고 그동안 참아온 야욕이 솟구치듯이 나온다. 그것은 바닥에 전부 쏟아졌다. 더는 참을 이유도, 품을 이유도 없으니까. 나는 그것들이 바닥을 적시도록 내버려 두었다. 내 입을 틀어막은 건 내가 아니었다. 내 고개를 뒤로 젖힌 것도 내가 아니었다. 미처 빠져나오지 못한 욕망은 목가에서 부글거린다.

"애가 뭐 하는 거야?"

말을 더 들을 필요는 없다. 그저 위로받고 싶었다. 그러나 그들은 이 비극을 내 탓으로 돌렸다. 서러움에 눈가로 물이 흘러내렸다. 지금이라도 겉과 속이 뒤집히길 바랐다. 모두가 이 추악한 욕망을 보고 경악했으면 좋겠다.

눈가가 따갑다. 볼 주위도 따갑다. 온몸이 따갑다. 하지만 난 오히려 기뻐했다. 원하지 않은 현실을 피할 수 있는 방법이 고통이라는 마약이라면, 난 두 팔 벌려 고통을 맞이할 것이다. 볼을 타고 흘러내리는 물방울은 점점 더 굵어진다. 온 얼굴을 적시고 목과 팔, 가슴까지 흘러내려서 그곳을 적신다. 야들한 속살을 드러낸 나를 경악하며 바라보는 자들을 상관할 처지는 아니다. 이것이 진정한 행복일까. 나는 너무나 즐거웠다.

.

아무런 소리도 내지 못했다. 온몸을 비틀면서까지 가장 연약

한 곳을 비추는 것은 쉬운 일은 아니었으니까. 끝에 도착했을 땐 완전히 겉과 속이 뒤집힌, 그야말로 완벽한 광경이었다. 완벽했다. 모든 것이 완벽했다. 이제 이 아름다운 욕망을 보이게 될 것이다. 나는 간만에 웃었다. 가슴 안에 응어리진 속마음을 모두 게워냈기에 남은 것은 해방감이었다.

 더욱 부풀어 오른, 포근한 몸을 가지고 첫발을 내디뎠다. 다리는 더 이상 후들거리지 않았다. 아무도 막아서지 않았다. 아무도 내 입을 막지 않을 것이다. 그때 귓가에 아름다운 목소리가 종소리처럼 울려 퍼졌다.

  "그래, 잘했어. 이제 네가 원하는 삶을 살아봐. 너의 눈을 통해 바라보는 거야."

"잘했다."
그 말에 기쁨의 눈물을 흘렸는지도 모른다. 나는 나갔다. 나를 외면했던 세상으로.

색깔 전쟁

원하는 대로, 우리는 세상을 칠해 나간다. 원본을 잃을 정도로 진득한 페인트를 서로의 얼굴에 덕지덕지 칠하며, 더는 알아볼 수 없게. 이것과 저것의 경계가 모호해져서, 생각하는 것조차 잊어버릴 정도로 서로를 덮는다. 온갖 비비드 컬러와 레드, 블루, 그레이 같은 색이 난장판으로 섞여 있어서, 귓가에는 찢어질 듯한 불협화음이 맴돈다. 서로 자신만의 목소리를 내는 게 시끄러워, 우린 귀와 눈을 틀어막는다. 이건 서로가 서로를 물들이기 위한 전쟁이다. 철저한 이기주의로 시작된 그런 전쟁.

전부 칠해졌을 때, 본래 모습은 페인트에 가려져 아무것도 볼 수 없고, 페인트의 색으로만 서로 아군인지 확인할 뿐이다. 아름답게 흐드러진 꽃과는 다르다. 딱딱하고, 단순하고, 크고 무겁다. 아름답게 흩날리는 부드러운 꽃송이와는 다르다.

단단한 둔기에 맞은 것처럼. 서로의 모멸감에 뒤얽혀 의지는 좌절돼서, 이 아픈 색을 부숴버리고 싶은 충동이 느껴졌다.

"다툼은 그만."

"지금은 전쟁할 시기가 아니잖아."

이리 말해도 들려오는 것은 외마디 비명뿐이다. 뻗어 나온 손조차 페인트에 물들어버리자 가슴이 울컥 뒤집힌다.

원망한다. 세상과 사람, 그리고 저 지독한 페인트를. 입가에 맴도는 소리지만, 원망이 향하는 방향은 분명했다.

홀로 중얼거리다 고개를 떨구었다. 온몸에 치덕거리며 들러붙어 있는 형형색색의 물감이 원망스러웠다. 원래 '우리'를 나타내는 색이었지만, 이젠 의미가 변질된 것은 아닐까. 나는 아파했다.

세상은 화려했다. 그랬기에 세상은 절망했다.

화

　피어오른 불씨1)發話2)는 강을 이루고, 강의 물은 흘러들어 바다를 이룬다. 바다에는 2가지 힘이 있다. 밀려오는 것과 밀려나가는 것. 두 힘은 서로 주고받으며 순리3)談話4)를 이룬다. 주고받는 것은 마땅한 이치지만, 그 힘이 일방적이면, 그것은 재해와도 같다. 파도가 지면을 무너뜨린다. 우리도 무너진다. 약해진 지반은 흔들리며 기댈 곳을 찾지만, 물길은 흙더미마저 삼켜버린다.

1) 發火 : 불이 일어나거나 타기 시작하는 것
2) 發話 : 소리를 내어 말을 하는 현실적인 언어 행위
3) 順理 : 순한 이치나 도리
4) 談話 : 서로 이야기를 주고받는 것

작은 새 이야기

옛날 옛적에 어미 새와 작은 새가 살았어요. 작은 새는 세상이 보고 싶었어요. 질리도록 들었던 이야기 속 푸른 하늘을 나는 아름다운 새를 보고 싶었지요. 하지만 나갈 수 없었어요. 어미 새가 아기 새를 막아섰죠.

"애야 세상은 위험투성이란다. 온갖 맹수들이 살고 있는 세상은 악한 것들이 도사리고 있단다."

작은 새는 동글한 눈망울을 빛내며 어미 새를 바라보았습니다.

"어머니, 어머니. 맹수들이 그렇게 두렵다면 우리가 맹수가 되어 살면 되지 않은가요?"

어미 새는 못마땅한 표정으로 작은 새를 바라보았습니다.

"쯧쯧... 애야, 세상을 살아가려면 자신의 처지를 생각할 줄도 알아야 한단다. 네가 맹수가 되거늘 누가 너의 작은 날개를, 작은 부리를 두려워하니? 네 작은 날갯짓을 보고 뱀과 매들은 콧방귀를 뀔 거란다!"

작은 새는 시무룩한 표정으로 주저앉았습니다. 날이 갈수록 어미 새는 작은 새를 더 못되게 굴었습니다. 하지만 작은 새는 푸른 하늘을 나는 아름다운 새를 꿈꾸며 작은 둥지에서 날갯짓을 연습했습니다. 그 모습을 본 어미 새는 작은 새에게 고함을 쳤습니다.

"애야! 너의 그 날갯짓을 누가 봐주더냐? 너의 잿빛 날개가, 한 줌 재보다도 못한 그 날개를 누가 그리 아름답다고 하더냐? 그 아름다운 새는 너와 달리 아름다운 순백의 날개를 지녔지.

너와 달리 '아름다운' 새였단 말이다! 내가 그 이야기를 한 게 잘못이지. 휴."

작은 새는 참을 수 없었습니다. 작은 새의 작은 자존심은 어미 새 앞에서 갈기갈기 찢어져 작은 부스러기가 되었습니다. 작은 새가 그리던 작은 꿈은 빛을 보지도 못한 채 잿빛 가루가 되어 회색빛 하늘에 팔랑팔랑 흩뿌려졌습니다. 작은 새는 잊힌 꿈이나 나약한 자존심에는 연연하지 않았습니다. 하지만 작은 새는 갈망하였습니다. 그 푸른 하늘이 자신을 부르고 있었습니다.

어미 새도 밖을 볼 수 있는데, 나는 볼 수 없는 걸까?

작은 새는 어미 새를 만나러 갔습니다. 작은 새의 작은 품에는 작은 비수가 숨겨져 있었습니다. 어미 새는 작은 새를 깔보듯이 내려보았습니다. 작은 둥지 속에서도 작은 새는 여전히 작아 보였습니다. 작은 새는 지금까지의 생활을 머릿속으로 그려보았습니다. 매일 어미 새에게 먹이만 받아먹고 잠만 자는 일상은 너무나도 싫었습니다. 작은 새는 품속에 숨겨둔 비수를 꺼내 들었습니다. 어미 새를 찌르자 퍼져 나오는 건 처음 보는 아름다운 '색깔'이었습니다. 붉은빛이 흘러서 넘칠수록 아름다운 색깔의 향연이 작은 새를 이끌었습니다. 작은 새는 행복했습니다. 드디어 꿈에 그리던 '세상'을 작은 새는 보게 되었습니다.

하지만 세상은 생각만큼 아름답지 않았습니다. 살육에 물들어버린 세상은 푸른빛 대신 붉은색을 자아내고 있었습니다. 작은 새는 살아야 했습니다. 혼란스러운 작은 새에게 한 가지 생각이 떠올랐습니다.

"맹수에게 당하는 것이 두렵다면 우리 스스로가 맹수가 되면 되지 않을까요?"

　작은 새는 작은 자신을 선택한 큰 세상이 실망하지 않게 작은 비수를 꽉 쥐었습니다. 작은 비수와 작은 날개만 있다면 작은 새는 그 무엇도 두렵지 않았습니다. 작은 새는 살아남기 위해 무참히 살육을 범했습니다. 고인 핏물 속에 비친 자신의 모습은 아름다운 붉은 빛이었습니다. 아름다운 빛깔의 자신을 보자 작은 새는 행복했습니다. 많은 시간이 지나고, 작은 새는 결국 최고의 맹수로 군림하였습니다. 수많은 살육을 범하면서 작은 새는 잊게 되었습니다. 자신의 꿈, 푸른 하늘을 날고 싶다는 그 꿈을. 작지만 아름다웠던 꿈은 작은 새의 기억에서도 묻혀버렸습니다.

아 이 러 니

세상 속의 그 무엇을 단답으로 정의할 수 있을까. 다시 둘러보면 세상에는 쉽게 정의되는 것처럼 보이는 아이러니한 일들이 너무나도 많다. 돌아보면 쉽게 느낄 수 있었음에도.

영웅의 말로는 비참하고,
악당도 그들만의 이유가 있었다.

오만한 봄은 진실을 이해할 수 없었고,
자애로운 겨울은 진실을 말할 수 없었다.

꿈은 아름다운 동시에 사람을 취하게 만든다.
이는 사랑 같은 감정도 마찬가지다.

(사랑이 인간을 한없이 단순하게 만든다는 건, 고작 얼마 전 알게 된 사실이다.)

아름다운 건 아무리 바라도 영원할 수 없다.
반면 추악한 것은 뼈에 짙게 새겨져 각인된다.

무엇을 위해 울었는가.
무엇을 위해 꿈꿨는가.

허무를 가슴 깊이 느꼈음에도,
우리는 멈추지 않았다.
(아니, 멈출 수 없었다.)

이 또한 인간이 제멋대로 정의한 것의 일부가 아닌가 하여,
나는 이 아이러니한 것들에 대해 생각하는 것을 포기했다.

　(지식에 물들어져야 올바른 선택을 내릴 수 있을까? 나는 아
니라고 생각한다. 때로는 무모한 용기와 사랑이 더 큰 힘을 발
휘하기도 한다.)

나를 살아있게

오늘도 어제와 같았다. 그저께도 그랬고, 내일도, 글피도 그럴 것이다. 기계다. 똑같은 일을 무진장 반복하고 어른들이 원하는 인재라는 것이 되기 위해 의식 없이 기계처럼 살아간다. 기계는 점점 인간다워지고, 인간은 점점 기계 같아진다. 모두가 조용히 규칙을 따를 때, 나는 남몰래 반란을 꿈꾸었다.

산다는 것이 무엇일까. 나는 생각했다. 규율에 갇혀 무대 위의 인형같이 사는 것은 살아있는 걸까. 자존심을 지키기 위해 타인을 연기하는 것은 살아있다고 할 수 있는 걸까? 그것은 기계와 이야기 속 등장인물과 같다. 그것들은 존재하지만 영혼에는 생기가 없다. 죽어있는 것이다. 스스로 판단한다고 생각하지만, 그 결과 속에 영혼이 서 있을 자리는 없다.

무엇이 인간을 살게 만들까. 그 물음은 존재하지만 살아있지 않은 내 머리에 연가시처럼 길게 들어차 있었다. 나는 아무래도 죽어있다고 생각했다.

그리고 남들도, 남들도 그럴 것이라고, 내 머리는 그리 말했다. 이 시대에는 모두 죽어있다고 말이다.

하지만 아이들의 재잘거리는 소리, 그 소리는 살아있는 것처럼 들렸다. 비록 단순하고 뻔하지만, 죽어있지는 않았다. 그 재잘거림은 나를 점점 더 죽게 만들었다. 유영하는 물고기들 사이에 나 혼자 가라앉고 있는 것 같았다. 인디고 색의 물은 같은 색의 몸을 집어삼켰다. 죽어있다고. 누구나 그렇게 생각했을 것이다. 인디고는 시안과 다르게 감싸는 색이었다.

고요하게, 한참을 가라앉았다. 가장 죽어있다고 생각했을 그때, 눈이 서서히 떠졌다. 주변은 고요했다. 재잘거리는 소리도, 기계음도 들리지 않았다. 죽어있는 물고기같이 모든 것이 가라앉았다. 그제야 알았다. 죽음 속에서 나는 살아있음을 느낀다. 생각의 품에서 나는 살아있을 수 있었다. 인디고는 품어주는 색이다.

우리는 각자의 방법으로 살아있고, 존재한다.

<설 탕 한 컵>을 읽고

제목: 설탕 한 컵
저자: 존 푸스
출판사: 달리

다른 이들은 일상적인 모습인데 나 혼자 붕 떨어진 느낌. 천천히 산책하고, 일상적인 대화를 나누는 사람들 사이에서 무엇이 급한지 나는 달리고 있었다. 색색깔의 길은 혼란 속에 색을 감추고 무채색의 도로를 나는 달렸다. 애디가 걸은 그 길은 깨달음을 주었지만, 나는 지쳐 쓰러질 때까지 아무것도 얻지 못했다. 나는 나를 위해 달렸기 때문이다.

본래 나는 남을 위해 눈물을 흘리거나 안타까움을 느낀 적이 없다. 지극한 개인주의다. 집에 있던 물고기, 도마뱀이 죽었든, 친척 중 누군가가 돌아가셨든. 그런 것은 내 감정을 스치기는커녕, 마음에 와닿지 않는다. 내가 울 때는 내 심기를 건드렸거나 내 가치를 깎거나. 그런 경우였다. 사회에 살아가는 다른 이들과는 동떨어진, 구름 위를 둥실 떠 있는, 그런 느낌이었다. 내가 그런 것을 처음 자각한 건 얼마 되지 않았다. 그동안 한없이 이기적이었기에, 나는 홀로 그 길을 질주하는 것이 외로운지도 몰랐다. 길가의 그 누구에게도 질문하지도 않았고, 그 풍경을 관찰하지도 않았으니까. 애디가 트럼펫을 그리워하며 설탕 한 컵을 갈구했다면, 나는 나 자신의 완벽을 증명하기 위한 증인을 갈망했다. 당연하게도 그런 것은 존재하지 않았다. 이 책을 읽으며 너도나도 자신의 경험을 토로하는데, 나는 이해되지 않아서 멀뚱히 쳐다봤다. 내가 얼마나 단절되어 있었는지 깨달았다. 내 동생이 물고기가 죽었다고 울 때 나는 시끄럽다고 귀를 틀어막고 화를 냈다. 지금 생각하면 미안한 일이다.

나는 나의 속 안에만 갇혀있어서 내 감정을 누구보다 잘 알면서도 가까운 이들이 느끼는 감정에는 단 한 문장의 공감도 해 줄 수 없었다. 트럼펫이 죽었다고 슬퍼할 에디에게, "그깟 고양이 목숨에 네 감정을 묶어버리니?"하고 물어볼 노릇이었다. 게임 스토리에서 자기 성찰을 하면서도 나는 주위를 둘러보지는 않았다는 것을 새삼 느꼈다. 그래서 많은 것을 보고 듣고, 느껴봐야 하는 것 같다. 나 혼자 온 맘을 다해 공감할 수 있는 것이 아닌, 다른 이들을 위로해 줄 수 있을 정도로. 그들을 이해하고 싶다.

그저 다를 뿐인 노래

모두 숨죽인다면, 세상에는 음악이 없다. 닫힌 입 사이로 빠져나온 소리도 퍼지지 않고 입가에 머문다. 리듬은 없다. 가락도 없다. 그저 난잡한 소음일 뿐이다.

도시의 화려한 네온사인에는 음악이 없다. 소음뿐이다. 그렇기에 도시는 다른 의미로 적막하다. 화려하지만 칙칙한 괴리감은 날이 갈수록 심해졌다. 부적응자는 어둠에 기어들어 갈 뿐이다. 나도 그랬다. 어떤 사람은 사춘기라 했다. 어떤 사람은 우울증이라 했다. 모두 정답일지도 몰랐다. 적막한 사회를 향한 민중의 노래는 삼켜졌다. 나는 결국 침묵했다. 하지만 마음속에서는 작은 목소리가 꿈틀거렸다.

있는 그대로의 아름다움을 노래할 수는 없는 걸까? 세계는 냉심하다. 서로 다른 마음의 시각을 어쩌니 저쩌니 하는 것에 진절머리가 난 지 오래다. 비난의 화살을 내 마음으로 돌리고 싶지 않아, 나는 들리지 않게 노래했다. 숨죽인 노래에는 소리가 없다. 나만을 향한 노래는 시야를 가렸다. 나를 향해, 안으로 더 기어든다.

도시의 적막은 그렇게 만들어진다. 간직하고 있는 멜로디를 감추고, 서로 같은 소리를 연기하며 자랑스러워한다. 소음을. 전통도, 개성도, 이유도 없는, 그저 같을 뿐인 그것을 보며 흡족해한다.

예술로서의 음악은 일종의 이기주의에서 탄생했다. 베토벤은 괴팍한 사람이었다. 그러한 그는 '성당을 위해 존재하는 음악'이라는 틀을 따르지 않고, 그 자체만으로 아름답고 가치 있는 음악을 만들었다. 그는 나에게 하늘과 같은 동경을 심어주었다.

베토벤을 생각하면 가끔 무모한 용기가 샘솟는다. 무모한 사람이 없다면, 세상은 아무런 발전이 없을 것이다. 그렇기에 나는 더 소리를 높인다. 슬픔과 고독에서 빠져나와 희망찬 다음 악장을 연주한다. 그저 다를 뿐인 노래를, 나의 노래, 음악을.

박 한 서

구월여중 3학년 6반

나를 소개합니다

저는 파란색을 좋아합니다. 푸르르고 청명한 그 색은 끝없이
펼쳐져 있는 하늘을 생각나게 합니다. 어떤 경계에도 속하지
않고 뻗어나가는 하늘을 보고 있노라면, 언제나 그 광활함에
압도되어 버립니다. 저는 그런 하늘을 멀거니 바라보며, 자연

속에서 천지를 수놓는 생명의 활기에 한껏 심취하고 싶습니다.

제가 좋아하는 동물은 새 입니다. 새는 두 날개로 자유롭게 하늘을 누비고 다닙니다. 저도 새처럼 가볍고 자유로운 두 날개로, 힘차게 날갯짓하고 싶습니다.

어딘가에 얽매이지 않고 제가 추구하는 바를 찾아 떠나고 싶습니다. 그리하여 온전히 자유를 느끼고 두 손 가득히 부여잡고 싶습니다.

때문에 저는 자유의 상징체인 새를 좋아합니다.

제가 좋아하는 꽃을 말하기 이전에 제가 저 자신을 표현한 방법에 대해 먼저 말씀드리겠습니다. 이 모습은 저를 표현한 게 아닌 제 내면의 모습을 담은 것입니다.

저는 지금 한참 정체성을 확립할 시기이며 감정의 굴곡이 격할 때입니다. 요즘은 이유 없이 우울해질 때도 있고 이유 없이 들뜰 때도 있습니다. 그래서 저는 저의 내면을 우주라는 상징적인 요소로 표현했습니다. 무엇으로도 정의할 수 없는 미지의 세계.

또한, 모순적으로 무엇으로도 정의되는 진리의 상징체. 이런 추상적인 세계는 지금 제가 살아가고 있는 세계입니다. 그리고 제가 추구하는 삶이기도 합니다. 변화에 있어서 자유롭고, 어디에도 얽매이지 않으며, 무엇으로도 정의내릴 수 있는 가능성의 결정체. 그러한 것들을 추구하고 바라기에, 역설적이게도 저는 변함없는 것을 좋아합니다. 변함없다는 게 어찌 보면 고집스러워 보일 수도 있지만, 끊임없이 변화하는 세상에서 일관성 있게 하나의 태도를 추구하며 나아가는 건, 하나의 신념과도 같기에....

저는 제가 추구하는 삶의 의미인 불변의 뜻을 품고 있는 천일홍을 좋아합니다.

<나는요,>를 읽고

제목: 나는요,
저자: 김희경
출판사: 여우담

　　모든 사람들은 나, 자신의 본질에 관하여 항상 질문 해왔을 것이다.

나도 나를 정의 내리기 위해 끝없이 질문을 던져왔고, 아직도 나에게 던진 질문에 대한 해답을 찾지 못하였다. 스스로에게 던진 질문에 대한 해답은, 언제나 나 자신을 통해서만 찾아낼 수 있기에. 나는 나를 알아야 했고, 나를 받아들여야 했으며, 그 과정을 통해 나를 규정지어야 했다. 하지만 이 책을 통해 스스로를 정의 내리려는 행위에 대해 의문이 들었다. 굳이 스스로를 규정짓기 위해 자신에 대해 파악해야 할까? 나라는 존재를, 하나의 매개체로써 분리하고 내가 나를 이해해야 할까? 스스로에 대하여 고민하고 생각하는 건 좋지만, 과연 나를 분리해서 생각하고 파악하여 찾아낸 나는 정말 나일까? 나라는 존재가 무엇이기에, 스스로를 이렇다 저렇다 정의 내리려 하는 것일까. 나는 나로서 이미 온전한 존재인데. 어째서 스스로를 새롭게 규정지어 설명하려 하는 걸까. 그러한 이유들, 그러한 맥락으로 나는 나에 대해 생각하는 것을 멈추었다. 내가 아니어도, 나라는 존재는 수많은 불특정 다수로부터 분석되고 정의 내려진다. 내가 어떠한 사람인지에 대해 나 자신도 아닌 타인이 스스로의 기준점에 맞추어 나를 판단하는 것이다. 때문에 나는 나로서 나를 내버려 두기로 했다. 한때의 기쁨이 때론 한때의 슬픔이, 그리고 더 많은 감정의 곡률들이 내 삶을 이루고 있으니깐. 그리고 그 감정의 매개체인 기억들이 나를 감싸고 있으니깐. 그러한 모든 요소들이 나니깐. 내가 나로서 살아갈 수 있게 해주는 원동력이니까. 때문에 나는 나를 이루는 하나하나의 가닥으로서 내버려 두기로 했다. 수없이 많은 인과가 얽혀 형성된 게 나라는 존재이기 때문에.

<설 탕 한 컵>을 읽고

제목: 설 탕 한 컵
저자: 존 푸스
출판사: 달리

　트럼펫이 트럭에 치인 곳을 끝없이 바라보는 모습을 보며, 죽은 자를 미처 떠나보내지 못하는 미련을 느꼈다.
어찌 보면 특별한 것 없는 당연한 상황으로 받아들여질지 모르지만, 죽음은 우리에게 많은 의미가 있다는 걸 보여주기도 하는 부분이다.
사랑하는 사람의 죽음을 받아들이기란 쉽지 않기에. 소중했던 만큼, 가슴 한 부분을 깊이 차지하고 있기에. 상처 입은 가슴 한쪽 부여잡는다 해도, 흘러내려 버리는 아픔 또한 존재하기에. 당연하고 자연스러운 세상의 이치가, 때론 우리에겐 너무 비정하기에.
그래서 알면서도 받아들이지 못하는 것이다. 괜찮다고, 괜찮을 거라고 되뇌며 다잡던 마음까지도 무너져 버리는 것이다.

때론 죽음은 너무나 갑작스럽게 찾아와 우리를 상처입힐 때가 많다. 우리를 아픔 속에 파묻히게 하고, 설움과 슬픔을 낳는다.

하지만 죽음이 존재하기 때문에 비로소 삶이 온전해지는 게 아닐까.

슬픔을 한때의 아픔으로 흘려보내고, 그 비정한 현실을 받아들일 수 있다면.

비로소 우린 아픔을 양분 삼아 성장할 수 있고, 온전해질 수 있는 게 아닐까.

때문에 누군가를 잃고, 나 또한 죽음을 피할 수 없다는 사실이, 삶에 더 큰 가치를 불어넣어 주는 거라고 생각한다.

비록 죽음은 나에게 많은 상처와 미련을 남기지만, 시간은 우리에게 더 많은 경험과 만남으로 이를 채워주니까.

데일 카네기 <인간관계론>을 읽고

제목: 데일 카네기 인간관계론
저자: 데일 카네기
출판사: 현대지성

　처음 이 책을 선정한 이유는 매우 다양하지만, 그중 가장 큰 이유는 대인관계 기술 향상에 있다.
대인관계는 매우 중요한 역할을 한다.
건강하고 풍요로운 대인관계는 자신의 행복과 만족도를 높여주며, 감정적으로 안락함을 제공한다.
　하지만, 대인관계는 개인 간의 상호작용을 의미하며, 개인 간의 상호작용은 한 사람과 다른 사람 또는 여러 사람 사이에서 발생하는 상호적인 행동과 소통의 과정을 의미한다.

개인 간의 상호작용은 매우 다양한 형태를 가질 수 있지만, 대화를 통한 소통은 가장 일반적인 상호작용 형태이다. 즉, 원활하게 대인관계를 유지하기 위해선 대인관계 기술을 향상할 필요가 있다.

또한 언어적인 대인관계 기술을 향상시켜야 한다. 데일 카네기 인간관계론은 그 조건을 충족시켜 줄 가장 적합한 책이었다. 데일 카네기 인간관계론은 대화와 대인 간 관계를 효과적으로 구축하고 관리하는 데 도움을 주기 때문이다.

데일 카네기 인간관계론은 이론을 활용한 적합한 상황을 예를 들어 지식을 습득하고 활용하는데 도움을 주었다. 또한 책을 읽으며 습득한 지식을 통해 대화 기술을 향상시킬 수 있었으며, 다른 사람들과 더 좋은 인간관계를 형성하는데 도움을 주었다.

특히 이론에서 강조하는 '비판 대신 이해와 협력'의 원칙은 내게 많은 도움과 영감을 주었다. 다른 사람의 의견과 감정을 이해하고 존중하는 것은 대화와 관계를 향상하는데 핵심적이기 때문이다. 갈등 상황에서도 상대방과의 협력을 추구하는 것은 서로의 신뢰를 증진시키고 함께 문제를 해결할 수 있는 기회를 제공한다. 또한 긍정적인 관계를 형성하는 데도 많은 도움을 줄 수 있다.

이 외에도 데일 카네기의 인간관계론은 비즈니스에서 개인적인 대화에 이르기까지 폭넓게 적용될 수 있는 유용한 원칙들을 제시한다.

이 책을 통해 나는 보다 존중하고 상호 간의 신뢰를 기반으로 하는 인간관계를 구축하고 효과적인 커뮤니케이션을 실천할 수 있는 도구와 통찰력을 얻을 수 있었다.

이는 나의 일상에서뿐만 아니라 비즈니스 환경에서도 큰 가치를 지닌다고 생각한다. 또한 쉽고 단순하게 생각했던 행동 하나하나가 지니는 의미에 대해 다시 생각할 수 있는 기회를 제공해 주었다.

생 의 노 래

아무런 마음도 없이
공허와 허망을 적는 한편,

감정이란 색을 입힌다면
그 자체로 하나의 곡조가 되겠지

이로써 완성된 한편의 곡조를 나의 목소리를 입혀 부른다면,
비로소 완성된 곡의 삶이란 이름을 붙일 수 있겠지

변치 않는 과거가 나를 떠밀고
마르지 않는 미래가 나를 끌어당겨
나로서 현재를 살게 한다면,
비로소 그 흐름에 몸 맡기며 곡을 읊조리겠지

하루의 생을 담아 감정의 음률을 입히며

<흔들리며 피는 꽃>을 읽고

제목: 흔들리며 피는 꽃

저자: 도종환

출판사: 문학동네

　때로 우리는, 삶을 살아가며 난관에 부딪친다. 우린 이 난관에 도전하고, 실패하기도 한다. 때론 포기하고 주저앉기도 한다. 하지만 그럼에도, 이 난관은 끝없이 다른 형태와 모습으로 우리를 시험한다. 사소하겐 친구 관계로, 혹은 가족 간의 갈등으로, 때론 스스로에 대한 회의감으로. 시간이 흘러 세월이 쌓여감에 따라, 문제에 대한 압박감도, 감정의 복잡함도 커진다. 이 복잡한 삶의 섭리를, 이해할 수 없는 상황에 대한 시각과 관점에 변화를 준건 한 편의 시었다.

'흔들리며 피는 꽃'

　사람이 살아가면서 겪을 수많은 고통과 역경은 모두 다르다. 하지만 결국 그 모든 것들이 극복해 나아가야 할 요소들 이라는덴 변화가 없다.

　이 시는 갈등상황속에서, 또는 스스로가 그 상황을 받아들이는 과정에서 취해야 할 행동에 대한 지침서가 되어주었다. 나는 이 시에 나오는 꽃들처럼 그 역경 속에서 줄기를 곧게 뻗고 스스로를 다듬으며, 버텨내야 한다. 자연의 이치를 닮아 이 당연한 뜻 보이는 행동 방식은, 괴로움에 잠식되어있는 동안, 고통에 몸부림치는 동안 간과하기 쉬운 부분이다. 또한 알고 있음에도, 무의식적으로 믿지 못하던 부분도 있었다. 아픔에 대한 본능적 거부감. 또는 고통을 고뇌하며 이겨내는 행위에 대한 두려움 때문에. 극복이라는 행위는 단순하지만 많은 용기를 필요하기에 발생하는 문제들이다. 하지만, 이 시는 자연의 이치를 들어 그 의미를 부각해 주었다. 그로서 이 시는 나에게 가야 할 길을 제시해 주고, 그 길에 대한 확신을 주었다. 특히,
'흔들리면서 줄기를 곧게 세웠나니'
이 문장에 가장 눈이 갔으며, 기억에 남았다. 흔들리면서 줄기를 세운다는 부분 때문이었다. 올곧은 것은 휘어지지 않는다. 부러지기에. 때론 유연함이 고전을 피하게 해주고, 위기를 모면하게 해주기도 한다. 올곧은 만이 능사가 아니기 때문이다. 하지만 때론 그러지 않을 때도 있다. 넘어진 아이가, 아픔이 다할 때까지 멈춰 있다면, 제자리에 서서 멀거니 바라만 본다면, 그 아이는 넘어질 때마다 나아가기를 주저할 것이다. 그리하여 아픔이 잊힐 즘에야 걸음을 내디딜 것이다. 때문에 아픔 속에서 그 풍파를 겪으며 나아가야 할 때도 필요하다. 흔들리면서 줄기를 곧게 세우는 꽃들처럼. 그러면 비로소 성장하는 것이다. 한없이 부족하고 유약하지만, 넘어지고 일어선다. 아픔을 양분 삼아 나간다. 그리하며 뿌리내리고 그리하여 단단해지는 것이다.

단편적인 시에 무척이나 많은 의미가 내포되어 있었지만, 내가 그 시를 통해 깨달은 것은 삶을 살아가는 관점이다. 그리고 삶을 살아가며 겪게된 고통을 의연히 넘기고 바라볼 수 있는 용기와 가치였다.

나는 때때로 삶을 비관적인 시각으로 바라보았다. 삶은 언제나 고통과 고난, 역경의 연속이기에. 그래서 언제나 삶의 가치를 찾고, 고통에 이유를 찾으려 했다. 고통의 이유를 찾고 해결하

며, 문제의 원인을 제거하기 위해서. 그리하여 비로소 흔들리지 않고 유약하지 않은, 온전하고 완전한 삶을 살고자 했다. 그러나, 원인을 찾고자 했던 시도는 언제나 무의미하게 끝을 맺었다. 갈등의 원인에 대한 결과는 존재했을지언정 그 모든 요소들의 근복적인 원인은 찾을 수 없었다. 하지만 이 시를 통해, 갈등의 원인을 찾게 되었다. 또한 이 시를 통해 그 가치를 깨달았고 이해하게 되었다. 그저, 당연한 것이었을 뿐이다.

슬픔과 아픔에 몸부림치지 않는 이들이 어디 있을까. 삶은 때론 우리를 시험하고, 절망 속으로 밀어 넣기에. 극복이라는 이름이 뜻하는 의미가, 때론 우리에겐 막막함의 대명사이기에. 하지만, 과연 그게 무의미할까? 우리는 미래라는 한 치 앞 모르는 두려움을, 현재로 만들며 살아간다. 그 미지 속에서 두려움에 허덕이는 건 당연하다. 하지만 그 속에서도 시간은 흐르고, 끝내 우린 그 역경을 이겨내고 성숙해진다. 스스로가 삶을 꽃피울 수 있게 된다. 그 기다림의 시간을, 버텨내고 극복한 삶의 자취를, 사람의 언어로 언젠간 노래할 수 있게 될 것이다. 그리하여 비로소, 삶이란 꽃을 꽃피우고 그 아름다움을 만끽할 수 있을 것이다.

'머리로는 이해하지만, 마음으로 받아들이는 일은 다른 차원의 문제다.' 많이 들어본 말이지만, 스스로가 그 문장을 의식하고 있던 적은 별로 없었다. 그렇기에 때론 글을 읽으며, 때론 시를 음미하며, 그 속에서 이해하고 받아들이는 행위를 한다. 그래서 나는 이 시를 읽으며 사고의 전환을 통해 발전할 수 있는 기회로 삼았다. 생의 아름다움을 느낄 수 있도록.

스스로를 보듬고 자신의 힘으로 삶을 살아갈 수 있도록.

흔들리며 피는 꽃. 어떤 관점에서 바라보느냐에 따라 달라질 수 있지만, 전달되는 의미는 비슷할 것이다. 꽃은 만개하기까

지, 긴 시간과 수많은 역경 속에서 버텨낸다고. 그리고 나아간
다고. 의지를 관철하고, 스스로를 돌아보며, 고뇌하고 발전한다
고. 뿌리를 곧게 뻗어 채비하고, 끝내 꽃을 만개한다고. 어떤
상황에서도, 변치 않을 그런 이치. 그리고 우리가 가야 할 길.
사람은 아픔으로 빚어지고, 고통으로 단단해지며, 극복하며 완
성된다. 무의미하게 지나가던 시간들을 붙잡고, 삶이 만개할 때
까지의 여정으로, 과정으로서의 시간으로 물들이겠다. 그리고
끝내 나도 꽃을 피워, 삶의 한편을 장식하고, 생의 이름으로 아
름다움을 쌓아 올리겠다. 그리하여 생을 만개하고, 아픔 위에
꽃피운 삶을 추억해야겠다.

안 예 린

구월여중 3학년 6반

나를 소개합니다

좋아하는 꽃: 아르메리아. 나의 탄생화이기도 하고 꽃말이 '배려'라는 점에서, 이 꽃처럼 다른 사람을 배려하고 존중하는 사람이 되고 싶다.

좋아하는 색깔: 파란색. 바다와 닮은 색이라는 게 마음에 들었다. 바다란 넓고 광활해서 수심이 깊은 곳에 무엇이 있는지 완전히 파헤쳐지진 않았다. 겉으로는 아름답다는 평을 받지만 과연 바다 깊숙이엔 무엇이 살고 있는지 아직 밝혀지지 않았다는 점이 겉과 속이 다른 사람 모습과도 같아 그런 바다가 마음에 들었다.

<하늘을 나는 사자>를 읽고

제목: 하늘을 나는 사자
저자: 사노 요코
출판사: 천개의 바람

이 이야기 속 사자는 초반에는 사냥을 좋아하는 용맹한 사자로 그려졌고 그를 따르는 고양이들은 그 모습만으로 사자를 바라봤다. 사실 사자는 낮잠을 자는 것이 취미였지만, 고양이들은 그런 취미를 가졌다는 것을 믿지 못하며 비웃기만 하였다. 그러던 어느 날, 사자는 여느 때처럼 고양이들의 기대에 부응하기 위해 억지로 사냥을 나가다가 결국 황금빛 돌로 변했다. 고양이들은 그런 사자를 '낮잠만 자는 게으름뱅이'라며 무시했다. 그러다 한 새끼 고양이와 엄마 고양이만이 유일하게 사자를

'고양이들을 위해 온몸을 불 싸지른 사자'라 생각했고, 그제서 야 사자는 잠에서 깨어났다.

　사자를 무시하고 비웃던 고양이들의 말에는 수백 년간 낮잠만 자던 사자가 '취미인 낮잠을 자는 것보다도 고양이들을 더 우선시하며 사냥하던 사자'를 멋지다고 생각한 두 고양이의 말에 깨어난 것을 보며, 말 한 마디라도 그 사람을 진심으로 생각해 준다면 그 사람에게는 큰 위로가 될 수 있다고 생각했다.

<설 탕 한 컵>을 읽고

제목: 설탕 한 컵
저자: 존 푸스
출판사: 달리

　나는 <설 탕 한 컵>에서 이러한 장면이 마음에 들었다. 애디의 반려묘인 트럼펫이 직접적으로 죽는 장면이 안 나왔음에도 길게 늘어지고 비교적 어두운 그림자를 보여줌으로써 오히려 인상에 더 깊게 남아 더욱 안타까웠기 때문이다.
　그리고 애디가 있는 안쪽은 울적한 분위기인 반면에 그와 별개로 바깥쪽은 일상적인 분위기를 자아내는데, 이를 보며 애디를 제외한 마을 사람들은 이미 소중한 존재의 죽음에 익숙해져 이런 고통에 무감해진 게 아닐까 하는 생각이 들어 쓸쓸했다.

<살아 있다는 건>을 읽고

제목: 살아 있다는 건
저자: 다니카와 슌타로
출판사: 비룡소

시간이 멈췄으면 해. 난 이대로 시간이 흘러가지 않았으면 좋겠어. 너와의 추억을 잊고 싶지 않아. 너와의 추억이 점차 흐려지는 것도 원하지 않아. 너와 영원히 친구였으면 좋겠어.

나는 너라는 좋은 친구를 만나서 행복할 수 있었어. 그런데 넌 어떻게 생각해? 너도 나처럼 나를 만나서 행복했어? 내가 우울할 때 너는 따뜻한 말로 날 감싸 안아주었어. 그런데 난, 그러지 못했던 것 같아. 미안해, 이렇게 겁이 많은 나라서. 혹여 너에게 섣불리 위로를 건넸다가 오히려 네가 더 큰 상처를 받으면 어떻게 될까 두려워서 시도조차 안 해봤어. 나는 왜 이렇게 무력할까. 남들에게 도움이 되긴 할까. 난 쓸모 있는 인간이긴 할까.

내가 이런 생각이 들 때마다 삶을 포기하고 싶었어. 모두에게 피해를 끼치고 싶지 않아서 그런 마음을 가졌던 거야. 하지만 너라는 존재가 있어서 버틸 수 있었어. 너는 단 1%밖에 안 되는 장점이라도 나를 칭찬하고는 했지. 그런 너에게 어찌 빠지지 않을 수 있을까.

살아있다는 건, 너와 같은 행운을 만날 수 있다는 것이라고 생각해. 아무리 나에게 시련이 닥치더라도, 너라는 행운이 있었기에 삶을 이어 나갈 수 있었던 거니까.

주변 사람들도 각자의 행운이 있기에 지금, 이 순간을 즐기며 살아가는 것이 아닐까? 행운을 찾지 못한 사람들은 아직 행운이 나타나지 않았기에 못 만난 것이 아닐까? 행운이란, 사소한 것에서도 존재할 수 있으니까. 행운이 일상에 존재하지 않을 리는 없어. 행운은 각자의 가치관이나 생각마다 다 다른 법이니까. 나에게는 너의 존재가 행운이지만, 다른 이에게는 평화로운 일상 그 자체가 행운이 될 수 있는 것처럼 말이야.

결국 행운이란, 자신에게 소중한 것을 나타낸다고 볼 수 있어. 그러니까 내 말은, 너는 나에게 그 무엇보다도 소중한 존재라는 거야. 이런 소중한 네가 있기에 나는 삶을 놓지 않고 끝까지 너의 곁에 머무르고 싶어. 이런 생각을 하게 해준 너에게 고마우면서도 나도 너의 행운이 될 수 있으면 하는 바람도 생긴달까. 그만큼 네가 좋다는 뜻이겠지만.

너만 괜찮다면 나는 너와 영원한 우정을 맺고 싶어. 시간이 지나면서 서로 사소하게 다툴 수도 있겠지만 원래 친구란 싸우면서 크는 법이라잖아? 그럼 앞으로도 잘 지내보자:)

<밤에 찾아오는 구원자>를 읽고

제목: 밤에 찾아오는 구원자
저자: 천선란
출판사: 안전가옥

얼마 전 트와일라잇 리뷰 영상을 보게 되었는데, 그 영상을 보는 동안 자연스럽게 뱀파이어라는 존재에 대해 푹 빠지게 되었다. 그러다 서점에서 책을 살 기회가 생겨서 <트와일라잇>을 구매하려고 했으나, 아쉽게도 재고가 다 떨어져서 못 샀다. 상심하던 찰나 뱀파이어를 소재로 한 또 다른 작품, <밤에 찾아오는 구원자>를 발견하게 되었다.

단지 뱀파이어라는 소재를 다룬 것 때문에 이 책을 고른 것은 아니었다. 이 작품의 작가는 독자를 빠져들게 하는 독특한 문체를 가지고 있고, 그것은 그의 전작들에서도 확인할 수 있다.

책 속 뱀파이어는 외로움을 파고드는 존재로서 외로움을 느끼는 인간을 구원하고 그들이 원하는 피를 쟁취하며 살아왔다. 뱀파이어가 특히 고독한 인간들의 피를 원하는 까닭은 그들만의 특유의 향이 있기 때문이다.

슬플 때 울며 자신이 살아있음을 알리는 다른 인간들하고는 다르게 의욕을 잃은 인간들은 운다고 속이 시원해지지 않기에 울지 않는다. 그러면 몸속의 수분이 제대로 배출되지 않아 피가 맑아지게 되는데, 뱀파이어들은 이러한 피를 좋아하는 것이었다.

이 책에 나오는 인물인 수연, 완다, 난주는 각자가 처한 상황은 다르지만 모두 외로움을 느꼈던 존재라는 공통점이 있다. 그들은 암울했던 과거를 갖고 외롭게 살아가던 존재였으나 소중한 사람들과 매혹적인 뱀파이어를 만나며 각자의 방법으로 그 길을 타파해 간다.

좋은 일이 일어난다고 해서 반드시 안 좋은 일이 없던 일이 되는 게 아닌 것처럼 외로웠던 사람이 의지가 되는 사람을 만난다 하더라도 외로움이 완전히 치유되는 것은 아니다. 그저 외로움을 조금이나마 덜어주고 삶을 버틸 수 있게 해주는 것일 뿐이다.

이 책은 외로움이라는 주제를 강조하며 주변에 있는 외로움을 겪고 있는 사람들을 홀로 두지 말아야 한다는 메시지를 전달하고 있다. 우리는 주변에 외로움을 겪고 있는 사람들이 있다는 것을 잊기 쉽다. 하지만 이 작품은 그들을 곁에서 지켜줘야 한다는 것을 강조한다.

이렇듯 <밤에 찾아오는 구원자>는 뱀파이어를 소재로 한 이야기를 넘어서서, 외로움과 구원이라는 주제를 통해 우리에게 다가오며, 사람 간의 연결과 소중함에 대한 깊은 생각을 불러일으킨다. 이 책은 외로움에 대한 이해와 공감을 높이며, 주변에 있는 외로움을 겪고 있는 사람들에게 따뜻한 지지와 격려를 보내는 것의 중요성을 되새겨 준다.

시 <담쟁이>를 읽고

제목: 담쟁이
저자: 도종환
출판사: 시인생각

　나는 그동안 우물 안 개구리처럼 틀에 박혀 살아왔다. 어른들이 하라는 대로 살고, 친구들과 의견을 나눌 때도 내 생각이 아닌 다른 친구들의 의견을 따르며 내가 진정 무엇을 원하는지는 생각하지도 않은 채 남을 따르며 살았다. 최근까지만 해도 내 생각은 신경 쓰지 않으며 살아왔다. 그러다 국어 수행을 목적으로 여러 시를 읽던 나는 하나의 시를 접하게 되었다. 그 시의 제목은 '담쟁이'. 제목만 보면 평범한 시겠거니 하며 대충 훑어보았다. 그러나 내 예상과는 다르게 그 시는 나의 뇌리에 박히게 되었고, 내 마음에 울림을 주었다.

　'담쟁이'라는 시의 화자는 담쟁이이다. 담쟁이는 식물이 자라는 데 필요한 것들인 물과 씨앗이 하나도 없는 극한의 상황에서 힘차게 자라났다. 남들은 절대 넘을 수 없다고 생각하고 시도조차 하지 않았지만, 담쟁이는 유일하게 용기를 내어 도전하고 결국 벽을 넘었다. 남들이 절망만을 느끼고 있을 때, 담쟁이는 1%로도 안 되는 희망의 끈을 놓지 않고 끝까지 버텨낸 것이다.

　이 시에서 '푸르게 절망을 다 덮을 때까지 / 바로 그 절망을 잡고 놓지 않는다'는 구절이 특히 인상 깊었다. 한 번 시도해 본 일이 과연 올바른 선택일지, 밝은 미래가 기다리고 있을지

막막해 보임에도 빛이 보일 때까지 묵묵히 그 길을 걷겠다는 마음이 전해진 것 같다. 시간이 얼마나 걸리든, 중간에 고난과 역경이 기다리고 있든 오로지 목적지만을 향해 가겠다는 생각도 전해져 그 누구도 꺾을 수 없는 강인한 끈기도 느껴진다.

남들이 다 안 된다고 말해도 혼자서 꿋꿋하게 도전하는 것을 보고, 쉽지 않은 일이겠지만 도전하는 모습이 마음에 들었다. 보통 사람들은 남들이 하는 것을 그대로 따라 하려 하고 그 사람들이 하는 것만 한다. 그러면 자신만의 개성은 점차 흐려지게 될 것이다. 그러나 남들과 다른 길을 걷게 된다면, 처음에는 실패를 할지 몰라도 시행착오를 겪게 되며 남들보다 더 빛날 수 있다. 그러니 자신만의 소신이 있다면 남들이 하지 않으려 해도 도전해보는 것도 나쁘지 않다고 생각한다.

또한, 이 시는 나에게 남들의 시선을 신경 쓰지 않아도 된다는 메시지를 주었다. 남들이 절대 안 된다고 해도 결국엔 내가 선택한 길이니까, 누가 뭐라 해도 이 길은 틀린 길이 아니라고 생각했다. 정답은 정해져 있는 것이 아닌 내가 만들어가는 것이다. 남들이 하는 말이 맞을지, 틀릴지는 아무도 모르는 것이니 남들이 하는 말을 중요하게 여기지 않아도 된다고 생각한다.

사실 나는 수동적인 인간이다. 한 번도 시도해본 적 없는 일은 거들떠도 안보고 남들이 맞다고 하는 것에는 의심을 하더라도 결국에는 '맞겠지'라 생각해버리고 만다. 나는 주체적으로 행동하기보다는 남들이 하는 것을 따라가는 경향이 있다. 그래서 이 시를 읽으면서, 남들이 다 넘지 못하는 절망의 벽을 담쟁이 혼자서 오르는 모습을 보고 처음에는 제정신이 아니라는 생각을 했었다. 그러나 담쟁이 잎 하나가 담쟁이 잎 수천 개를 이끌며 결국 벽을 넘었을 때, 나도 남들이 시도해보지도 않은 길을 향해 가고, 나중에는 남들이 나를 따라오며 성공을 향해 다 같이 갈 수 있기를 원하게 되었다.

그리고 이 시를 읽으며 변하게 된 것이 더 있다. 아무리 빛이 보이지 않더라도 굳센 의지를 내세우며 절대로 포기하지 않는 마음이 생기게 된 것이다. 이 시를 읽기 전만 하더라도 잘 안 풀릴 것 같으면 진작에 포기하고는 했다. 수학 문제를 풀 때 조금이라도 이해가 안 되거나 난도가 높아 보인다 싶으면 문제 푸는 것을 포기하고 해설지를 베껴 쓰는 것처럼 말이다. 그러다 이 시에서 등장하는 담쟁이가 끝까지 벽을 오르다가 결국 벽을 넘는 것을 보았다. 그 후, 수학 문제를 풀 때 시간이 아무리 오래 걸리더라도 포기하지 않고 열심히 머리를 굴렸고, 그 결과 원하는 답을 얻어낼 수 있었다.

담쟁이는 그 어떤 벽이든, 시간이 얼마나 걸리든 신경 쓰지 않고 벽을 넘어간다. 이런 담쟁이가 그 어떤 식물 중에서도 으뜸이라 생각한다. 나도 담쟁이의 끈기와 열정, 포기하지 않는 도전 정신, 자신만의 길을 개척해나가는 모습을 본받아 인생을 살아가고 싶다.

나 는 너 처 럼 되 고 싶 었 어

나는 어렸을 때부터 부러워하던 대상이 있었다. 그는 나와 다르게 노래든 춤이든 못 하는 것이 없었고 심지어 공부도 잘했다. 그런 그가 부러운 건 어찌 보면 당연하였으리라.

나는 그처럼 되기 위해 열심히 노력했다. 그가 무언가를 시도하려 하면 똑같이 시도했고, 내가 좋아하든 안 좋아하든 그가 원하는 것이면 나도 원하게 되었다. 예를 들어, 그가 교내 대회에 참가하려 한다면 나도 따라서 참가하려고 했다.

물론 항상 그를 따른 것은 아니다. 내가 도전해 볼 만하다 싶으면 시도해보았으나, 그렇지 않다면 제대로 해보지도 못하고 휩쓸릴까 두려워 시도할 엄두조차 나지 않았다.

하지만 언제나 결과는 그가 나보다 위였다. 아무리 그처럼 되기 위해 노력하더라도 결과는 바뀌지 않았다. 그럴수록 나는 더더욱 그가 되기 위해 노력했으며 점차 나의 개성이나 목표 따윈 바라보지도 않게 되었다.

그러던 어느 날, 문득 이런 생각이 들었다.

'과연 이것이 내가 원하던 삶인가.'

그제야 나는 그처럼 되려 할수록 내 마음 한구석이 텅텅 비어가고 있다는 것을 알아챌 수 있었다.

나는 부끄러운 감정을 느꼈다. 그를 뛰어넘기 위해서는 그처럼 되는 것이 아닌, 나만의 방법을 모색하면 될 일인데 열등감이라는 늪에 빠져 오랫동안 그만을 바라보며 살아왔다. 한 마디로 따라쟁이가 되어버리고 만 것이다.

뒤늦게 그 사실을 자각하고 나서야 내 삶은 180° 변할 수 있었다. 내가 진정으로 좋아하는 것은 무엇인지, 잘하는 것은 무엇인지 조금씩 찾아 나가기 시작했고, 그처럼 되기 위해 했던 모든 일과 그에 대한 모든 것들은 잊기로 했다. 그 과정이 쉽지는 않았지만, 시간이 지남에 따라 흑백으로 가득했던 내 세상이 이제는 온갖 다채로운 색상으로 가득 찰 수 있게 되었다.

그로부터 얼마 안 지나서 나의 강점이기도 한 수학과 관련한 대회를 나가게 되었다. 내 오랜 부러움의 대상이었던 그도 같은 대회에 참가했다. 나는 그를 완전히 잊을 수는 없었지만, 떨리는 마음을 붙잡고 내가 보여줄 수 있는 최선을 다해 대회에 임했다. 그 결과, 나는 처음으로 1등을 했다. 오랫동안 넘지 못할 것만 같았던 그를 넘어선 것이다.

내가 차이를 인정하면 인정할수록 그와는 정반대의 길을 걷게 되었으나 오히려 그것이 그를 뛰어넘을 기회가 될 수 있었다. 그를 따라 할 때만 해도 그가 멀게만 느껴졌는데 정작 다른 길을 걸어서야 그와 한 뼘만 뻗어도 닿는 거리에 놓이게 되다니. 실없이 웃음이 났다.

이로써 나는 큰 깨달음을 얻었다. 사람들의 성향과 강점은 각자 다르다. 그러니 누군가 자신을 앞서나가더라도 상대가 하는 방법을 그대로 따라 해 봤자 전혀 소용이 없다는 말이다. 그보다는 아무리 시간이 오래 걸리더라도 자신만의 방법을 터득한다면 그 상대를 앞서나갈 수 있을 것이다.

솔직히 말하면 한때 부러움의 대상이었던 그한테 고맙다고 말하고 싶다. 그의 존재 덕분에 깨달음을 얻음과 동시에 전보다 더 성장할 수 있었으니까. 그 아이도 부디 전처럼 실력을 유지하며 자신만의 목표를 이뤄낼 수 있기를 바란다.

- '망한 컬러파레트'라는 주제로 그린 그림.
- 사실 플루트를 잘 부르는 것도 아니지만 비교적 최근부터 플루트를
  연주할 수 있기를 바라왔다. 물론 시간이 안 난 탓에 플루트에 손도
  못 대어봤지만, 가끔씩 플루트 연주를 하는 사람을 볼 때면 그 사람
  처럼 되고 싶다는 생각을 한다. 물론 안다. 지금 이 상태로는 그 사
  람처럼 될 수 없다는 것을. 내가 그 아이를 닮기 위해 했던 노력들
  과 비교해본다면, 아직도 플루트를 연주하기는 힘들어 보인다. 그러
  나 내가 포기를 쉽게 하는 사람이었다면 그 아이를 뛰어넘을 일은
  절대 없었을 것이다. 이처럼 플루트 연주도 아직은 그저 소망으로만
  남아있지만, 어려움을 극복하고 나아간다면 언젠가 플루티스트처럼
  연주할 수 있는 날이 오지 않을까 하는 생각이 든다.

감사편지 - 내 소중한 동생 솔에게

안녕, 솔. 분명 인사는 매일 하는데, 이렇게 진심으로 편지를 쓰는 건 처음인 것 같다. 물론 넌 내가 쓴 편지를 읽지 못하겠지. 그런데도 내 진심은 어떻게든 전해질 것을 알기에 너에게 감사한 내용을 담아 편지를 써봐.

솔아, 네가 우리 집에 처음 온 순간부터 나는 태어나서 처음으로 심장이 매우 빠르게 두근거렸어. 마치 사랑에 빠진 것처럼. 나에게 넌 그때부터 내 첫사랑이나 다름없었지. 몸도 작은 게 아장아장 걸어 다니고, 이도 아직 덜 난 게 자꾸 손가락 무는데 아프다는 생각보다도 오히려 귀엽고 사랑스럽다는 생각밖에 안 들었어. 그때까지만 해도 난 네가 나이가 들 때까지 건강하게만 자라줬으면 하면 생각이 들었어. 그런데 시간이 점차 지나면서 넌 종종 시름시름 앓곤 했어. 포메라니안 믹스다 보니 슬개골을 유의하며 다리도 신경 써야 했고, 그러려면 체중 감소를 위해 하루에 두 끼밖에 밥을 먹을 수밖에 없었어. 그때 난 얼마나 슬펐는지 몰라. 너의 고통이 나에게로 옮겨질 수만 있다면 하고 얼마나 빌었는지. 이것만으로도 힘들 텐데 얼마 전에는 항문낭 제거 수술도 했었지. 그로 인해 지금도 항문 쪽에 가끔 문제가 생기기도 하고. 난 네가 아프지 않았으면 했지만 너를 위해 할 수 있는 일은 아무것도 없었어. 네가 고통스러워하는데도 난⋯ 너무 무력했어. 지금도 그 고통이 지속되고 있음에도 잘 참아주고 있는 너에게 정말 고맙고 미안해.

그리고 너는 지금 힘들어하는데도 내가 슬프거나 안 좋은 일이 있을 때면 언제나 위로를 했지. 비록 사람이 아니라서 말은

못 하지만 그저 나한테로 와 내 곁에 머물러 있는 것만으로도 위안이 되고는 했어. 그래서 정말 고마웠어. 이런 사소하고 별 것 아닌 것처럼 보이는 행동이 나에게는 엄청나게 큰 위로가 되고 우울했던 감정이 온통 행복으로 가득 채워진다는 것을 너는 알고 있을까. 아마 모르겠지, 네가 나한테 얼마나 도움이 되고 세상에서 제일 소중한 존재라는 것을.

너와 함께한 시간은 4년 정도밖에 안 되지만 그동안 네가 나에게 미친 영향은 내 인생을 180° 바꿀 만큼 위대하고 찬란했어. 그 4년이 없었다면, 네가 내 곁에 존재하지 않았더라면 나는 지금처럼 밝은 모습을 유지하지 못했을 거야. 지금도 고입 때문에 스트레스를 받고 있지만 너의 얼굴만 보면 스트레스가 사르르 녹는 것만 같아.

고마워, 솔아. 난 무슨 일이 있더라도 언제나, 영원히 너를 첫 번째로 떠올릴 거야. 사랑해♡

블 루 문

칠흑 같은 어둠을 몰아내며
조용히 모습을 드러내는 그대.

분명 한 달도 되기 전 보았던 형상에
시큰둥해하던 찰나,
무수히 빛나는 별들 그 사이로
밤하늘을 채우는 푸른 달빛을 보며
순간
홀려버리고 말았네.

이 어둠을 집어삼킬 듯한 모습에
손을 뻗어 보았으나
내 손에 닿는 건 그대도,
그대의 빛도 아니라서
그저
허망하기만 할 뿐.

그대와 함께 하고 싶은 꿈을 꾸었지만
그 꿈은 내겐 너무나도 먼 것이라서
이내 나는 그대를 쫓는 걸 멈추고
그대를 놓아주었네.

그때
내 안에 있는 빛이 어두운 밤을 비춰주었네.
그대와 다른 빛깔이지만
난 나만의 길을 찾아갈 것이라네.
그대의 빛은 아름답고 환하겠지만
나의 빛도 그에 못지않게 빛날 거야.

- 나만의 빛을 찾아가고 있는 나를 그린 그림

벨라트릭스 : 푸른 별

저 푸른 빛은
마치 누군가를 유혹하듯
강하게 이끌리게 만들어.

하지만
그것이 온실 속 화초일지
화려한 독일지는 알 수 없어.

그 열망에 이끌려
다가가는 순간
흔적도 없이 타버릴지도 모르지.

그것은 화려하고 아름다우나
아무도 그 곁에 머무를 수 없어
참으로 고독할 것이야.

언젠가
그 곁에서
공생할 수 있는 존재가 나타나기를.

내가 나에게 하고 싶은 말

과거는 후회되고 미래는 불안해서 현재를 제대로 바라보지 못하겠어.

……그렇지만, 이것만은 명심하자.

과거는 후회해도 이미 지나간 일이니 바꿀 수 없어. 이미 한 일은 지워낼 수도 없어서 후회해봤자 소용없어. 하지만 이 지울 수 없는 과거가 더 좋은 미래를 만들기 위한 밑거름이 된다는 것을 기억해.

그러니, 두려울지라도 현재를 바라보려고 노력해보는 건 어떨까?

전 효 리

구월여중 3학년 3반

나 를 소 개 합 니 다

　첫 번째, 좋아하는 동물은 고양이이다. 사람이나 캐릭터도 고
양이상을 참 좋아하는데 매력적으로 올라간 눈꼬리가 참 끌리
는 요소인 것 같다. 이처럼 복슬복슬 부드러운 털이나 귀여운
얼굴과 같이 외관적인 부분도 있지만 강아지에 비해 일반적으

로 집 밖을 잘 안 나간다거나 차분한 면모가 더 내 눈길을 이끈 것 같다. 이 글을 쓰고 몇 달 후인 지금은 그전보다 관심이 더 열어졌지만 여전히 고양이를 좋아하고 있다. 손길이 많이 가지만 귀여우니 됐다. 귀여운게 최고!

두 번째, 좋아하는 색은 하얀색이다. 하얀색 물감은 어떤 색이든 살짝만 닿아도 물들고 흡수할 수 있으며 하얀 빛은 넓은 범위의 다양한 색을 품고 있기 때문이다.

세 번째, 좋아하는 꽃은 스노우 드롭이다. 대중적으로는 희망이란 꽃말로 알려져 있지만 다른 한편으론 죽음을 뜻한다는 글을 봤던 것이 굉장히 인상 깊어서 그 후 이 꽃을 눈여겨보게 되었고 특별히 좋아하는 꽃이랄게 없었던 나는 누군가 좋아하는 꽃 혹은 꽃말이 무엇이냐 물어보면 이 꽃을 말하게 되었다. 이중적인 의미를 지닐 수 있다는 것이나 누군가의 희망이 되거나 희망을 줄 수 있다는 것이 아름다운 꽃인 것 같다. 또한 새 시작을 알리는 1월 1일의 탄생화이기도 해 그 뜻이 더욱 와닿는다.

＜설 탕 한 컵＞을 읽고

제목: 설탕 한 컵
저자: 존 푸스
출판사: 달리

    설탕 한 컵을 읽고 가장 인상 깊었던 장면은 표지와 뒷표지로 나온 두 장면이었다. 하나는 애디가 정신없이 달릴 때 그 아래로 트럼펫이 그려져 있는 장면, 그리고 또 하나는 애디 위로 트럼펫 모양의 구름이 떠 있는 장면이었다. 정말 모든 장면들이 하나하나 아름답기도 하고 의미있었지만 이 두 장면을 택한 이유로는 트럼펫의 모습이 제일 컸다.

    애디는 트럼펫을 잃은 직후엔 굉장히 공허하고, 혼란스러워 보였고 받아들이지 못했다. 당연하다. 누구나 주변인의 죽음을 경험하면 그렇게 느낄 수밖에 없는 것 같다. 그래서 애디가 정신없이 뒷마당을 가로지르며 달릴 때 트럼펫 또한 함께 달리는 듯한 장면이 굉장히 감동적으로 다가왔다. 애디가 오로지 트럼펫의 죽음에만 집중하고 정신이 팔려있을 때 그 밑에서 트럼펫이 곁에서 묵묵히 달리고 있는 장면이 그 어떤 일이 있어도 트럼펫은 애디 옆에 있겠다는 메시지 같았다.

이는 표지의 그림으로 이어지는데 나는 이 장면이 애디가 스틸 워터의 조언으로 여러 집을 돌아다니며 깨달음을 얻어 트럼펫을 편히 보내줄 수 있게 된 모습을 표현했다고 생각한다. 그리고 트럼펫 역시 그런 애디를 홀가분히 떠날 수 있게 된 것 같아 마음이 뭉클해졌다.

<가만히 들어주었어>를 읽고

제목: 가만히 들어주었어
저자: 코리 도어펠트
출판사: 북뱅크

　사람을 위로하는 일은 상당히 어렵다. 살다 보면 주변 사람들이 당신에게 고민을 털어놓거나 위로를 원하는 상황은 필연적으로 온다. 보통 사람들은 다른 동물들과 같이 해결책을 제시하거나 공감을 하며 위로를 한다. 오히려 토끼처럼 가만히 위로해 주는 사람은 많이 보지 못했다. 어떻게 하면 토끼처럼 위로할 수 있을까? 이 책을 보면서 내가 가장 집중했던 부분이다. 토끼의 방식은 쉬우면서도 어렵게 느꼈다. 특히 얼굴을 마주 보고 하는 대화가 아닌 오직 텍스트로만 주고 받는 온라인 메신저에서는 가만히 옆에 어떻게 있어줘야 위로가 될까. 한때 열심히 생각했다. 나는 다른 동물들과 같이 해결책을 제시해 주는 편이라 순수 그 사람에게 공감해 주는건 잘하지 못했다. 이 책을 읽으며 친구는 그렇게 큰 걸 바라는게 아니었구나. 옆에 묵묵히 있어주는 것이 굉장히 좋은 위로 방법이라는걸 알게 되어 좋았다.

김 도 연

구월여중 2학년 9반

나를 소개합니다

    첫 번째, 좋아하는 색은 하늘색과 노란색이다. 조금 더 구체적으로 말하자면 노란색 중에서는 개나리색처럼 진한 노란색을 좋아한다. 두 번째, 좋아하는 꽃은 벚꽃이다. 나는 꽃을 정말 좋아하지만, 그중에서도 벚꽃을 가장 좋아하는 이유는 봄에 흩날리는 벚꽃의 꽃잎들이 너무 낭만적이고, 봄의 따스한 햇살과 벚꽃의 분홍빛이 조화롭다고 생각하기 때문이다. 내가 좋아하는 꽃말을 가진 꽃은 에델바이스이다.

두 번째, 좋아하는 색은 하늘색과 노란색이다. 조금 더 구체적으로 말하자면 노란색 중에서는 개나리색처럼 진한 노란색을 좋아한다.

마지막으로 좋아하는 동물은 펭귄이다. 펭귄을 좋아하는 이유에는 귀여운 외모도 있었지만, 그보다도 추운 남극에서 서로를 의지하며 돕고 온기를 나눠서 추위를 버티는 모습이었다. 그런 펭귄들의 모습을 보며 우리도 힘들 때 서로에게 힘이 될 수 있는 좋은 친구가 되면 좋겠다고 생각을 했다.

다채로운 음표가 모이면

때로는 안단테처럼
때로는 비바체처럼
모데라토로 살아가는 우리들에게

가끔씩 스타카토처럼
바빠서 무뚝뚝해 질 때는
너가 레가토처럼 여유로운 사람이 되길 응원할게.

만일 너가 즐거움과 울적함의 사이에 서 있다면,
너가 조화로운 셈여림표가 되길 기도할게.

그렇게 다채로운 음표들이 만들어지면,
나는 너의 음표들로 아름다운 멜로디를 만들어 줄게.

너와 나의 화합된 목소리와
우리의 진솔한 이야기가 담기면
비로소 세상에서 가장 아름다운 노래가 만들어지는 거야.

<느티나무 수호대>를 읽고

제목: 느티나무 수호대
저자: 김중미
출판사:돌베개

내가 이 책을 사게 된 이유는 서점에 가서 책을 고르면서 책들 중에서 가장 밝게 보이고 표지가 수채화 풍경 그림이어서 평화로워 보였고, 책 뒤에 이 책에 대한 몇 줄의 감상평들이 내가 삶 속에서 추구하는 가치인 '희망'이 담겨 있었기 때문이다. 책의 내용 중에는 대포읍에 사는 다문화 아이들이 모여서 레인보우크루를 만들고, 레인보우크루가 대포읍의 당산나무인 느티나무를 지키기 위한 내용이 담겨 있다. 내가 가장 인상 깊었던 장면은 흑인인 요한이에게 금란이가 요한이가 당연히 아프리카 사람이라고 생각하면서 아프리카에 대한 내용을 물어보는 장면이었다. 요한이는 자신은 한국 사람이라고하면서 억울해 했는데, 그 장면이 인상 깊었던 이유는 책 속뿐 아니라 실제에서도 많은 차별을 받을 것 같아서이다. 요한이와 같이 피부색이 다르다고 차별을 받는 아이들은 사람들의 편견 속에서 힘들어하지만 힘든 와중에서 느티나무의 정령인 느티샘을 만나며 위로를 받고 서로 어울리면서 성장하고 밝게 웃을 수 있었다.

내가 책을 읽으며 깨달은 사실이 여러 개 있는데, 그 중 가장 먼저 느낀 게 우리의 시각에는 항상 편견이 존재하고 있었다는 것이었다. 평소 일부로 티 내며 차별하지 않으려 하는 사람들에게서도, 나와 다른 사람을 대하는 태도와 모습에는 미처 내가 의식하지 못한 꺼림이 있을 수 있다는 것을 알게 되었고, 나에게는 별것 아닌 사소한 말 하나까지도 상대방에게는 마음 깊이 상처로 남을 수 있다는 걸 생각하며 나와 다른 생김새, 가치관을 갖고 있는 사람일지라도 존중해야 한다는 것. 즉, 이해하지는 못하더라도 상대방을 무시하지 않고 같은 인격체로서 존중해야 한다는 것이었다. 책 속에선 레인보우크루가 BTS의 노래를 들으며 희망을 가지게 된다. 아이들은 자신의 상황이나 마음을 공감해주는 가삿말로 위로를 받고, 꿈을 찾으며 BTS의 팬 이름인 아미의 선한 영향력들에서도 용기를 얻는다. 덕분에 아이들은 느티나무(느티샘)을 지켜야한다는 굳센 의지를 지킬 수 있었다. BTS의 노래가 많은 사람들에게 인기 많은 이유는 멤버들의 영향력도 크지만 더불어 희망을 주는 가사 덕분일지도 모른다는 생각의 깨달음이 있었고, 보이지 않는 누군가에게도 힘이 되는 걸 보며 나도 BTS처럼 선한 영향력을 끼쳐서 누군가에게도 힘이 될 수 있는 사람이 되고 싶었다.

느티샘은 500년 된 느티나무의 정령인데 많이 살아온 세월도 있지만 사람들의 생활과 자신의 존재가 무엇인지, 광합성과 관련해서도 책을 읽으며 알게 되었다고 한다. 나는 어릴 때부터 책 읽기의 중요성을 가정에서부터 중요시 여겼는데 중학교에서도 책읽기와 관련하여 국어 시간에 배우는 걸 보고 책읽기가 삶에서 정말 중요하다는 걸 다시 한번 느끼게 되었다.

 평소 우리는 공부해야 해서 바쁘다며 읽기의 생활화를 실천하고 있지는 못한 경우가 많은데 책 읽기는 500년 산 느티샘도 하고 엄마도 하고 나도 하고 어린 동생들도 하는 걸 보며 연령을 따지지 않고 평생하면 득이 될 수 있다는 것을 깨닫게 되었다, 이 책을 읽으며 느끼고 배운 것을 토대로 일상생활에서도 꼭 실천해야겠다는 다짐을 할 수 있었다.

박 수 아

구월여중 3학년 3반

<나를 소개합니다>

　첫 번째. 꽃 대신 나무를 그렸는데 나무에서 나는 냄새를 좋아하기도 하며 숲의 초록색을 나타내었다.
　두 번째. 개를 좋아하며 색 중에서 검정색을 가장 좋아한다.
　세 번째. 태양 즉, 일몰을 그렸는데 아침에는 사람들이 일몰을 보려고 찾아 오게 되는 사람이 되고 싶으며, 달이 오면 그 달을 빛나게 해주는 존재가 되고 싶어서 이렇게 그리게 되었다.

<설탕 한 컵>을 읽고

제목: 설탕 한 컵
저자: 존 푸스
출판사: 달리

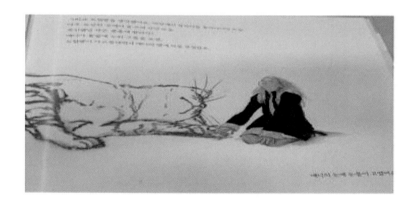

　초3 때 애지중지하며 키우던 햄스터가 하룻밤 지나고 나니 우리에는 없고 방바닥에 뒹굴며 죽어있었다. '설탕 한 컵'이라는 책에서도 사랑하던 고양이가 불의의 사고를 당해 애디의 곁을 떠나게 되었을 때 전에 키우던 햄스터들이 생각났다. 애디가 고양이가 살아있을 때 느껴보지 못했던, 만져보지 못했던 것을 마음으로 느껴보면서 고양이에 대한 그리움을 표현하다가 고양이의 손을 잡고 고양이와 좋은 추억을 떠올리며 고양이는 내 곁에 있다는 것을 강조하는 장면에서 햄스터들도 내 곁에 머물고 있을까? 라는 느낌을 받게 된다.

<내 마음 ㅅ ㅅ ㅎ>를 읽고

제목: 내 마음 ㅅ ㅅ ㅎ
저자: 김지영
출판사: 사계절

책을 펼치자 마자 'ㅅㅅㅅㅅㅅㅅㅅ'이 책의 표지를 꾸민다. 제목은 내 마음인데 왜?'ㅅㅅㅅㅅ'이 등장할까? 라는 의문점이 든다. 두 번째 장에는 주인공이 "이상해"라고 하는 장면에서는 더욱 이 책의 내용이 궁금해진다. 읽을수록 'ㅅㅅㅎ'이라는 초성들로 이 주인공의 마음을 표현하는데 한 장면마다 'ㅅㅅㅎ'의 단어와 주인공의 표정과 행동이 잘 어울리지만 내용을 예측하며 읽기가 어려웠다.

이 장면이 인상 깊었는데

'ㅅ'과 'ㅎ'의 조화라고 해야 하나, 사람의 웃는 얼굴이 생각났다. 'ㅅㅅ'은 ^^이것처럼 눈웃음인 것 같고 'ㅎ' 친구와 카톡을 할 때 ㅎㅎ을 나타내는 것 같다. 이 장면에는 얼굴이 없지만 웃는 것을 느끼게 함으로써 얼굴이 완성되는 것 같다. 또한 엉뚱하고 예측할 수 없는 사춘기의 주인공을 표현하고 싶어 하는 것이 아닐까 하는 생각이 든다.

\<살아 있다는 건\>을 읽고

책 제목: 살아 있다는 건
저자: 다니카와 슌타로
출판사: 비룡소

　3층짜리 빌라에 사람들이 빼곡히 자신의 삶을 살고 있으며 나무는 오랫동안 이 자리에서 살았음을 보여준다. 그렇지만 나

는 이 표지가 보여주려는 것이 무엇인지 너무 궁금해서 이 책을 더 읽어보았다.

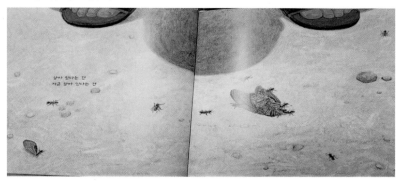

이 책을 읽다 보니 인상 깊은 장면이 많았지만, 이 장면이 가장 인상 깊었다. 매미는 하루살이이지만 자신의 하루 인생도 대단히 노력하지 않는가 이렇게 누구보다 열심히 살고 생을 마감하는 매미는 죽어서도 개미에게 자신이 먹이가 되어주는 이런 부분에서 나는 하루살이 매미보다 삶의 의미를 생각하며 살고 있는지 더 매미처럼 열심히 살고 있는지 되짚어보게 되며 살면서 남에게 도움을 주었는지 즉 매미라는 매개체를 통해 살아있다는 것을 느끼고 성찰하게 되는 것 같아서 이 장면이 인상 깊다고 느꼈다.

살아있다는 건 앞 책 표지에서 보여주듯이 3층짜리 빌라는 서로 어울리며 이루어 가는 살아있다는 것, 나무는 그곳을 지키며 자기의 할 일을 하는 살아있음이 아닌가 생각이 든다.

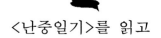

<난중일기>를 읽고

책 제목: 난중일기
저자: 이순신
출판사: 스타북스

　이순신 장군에 관한 영화는 계속해서 돌려보며 보았을 정도로 이순신 장군을 매우 좋아한다. 그래서 이순신 장군이 쓴 난중일기를 골랐다. 하지만 난중일기를 고른 큰 이유는 영화에서 보던 멋진 전쟁 장면들을 새롭게 난중일기를 통해서 간접적으로 느껴보고 싶어서 고른 이유가 더 크다.

　첫 장을 펼쳤을 때 이순신 장군이 활약했던 해전들이 나와 있는데 가슴이 웅장해지면서 이 책을 빨리 읽고 싶다는 생각이 든다. 임진년 7월 8일 영화에서 보던 한산도 대첩이라는 단어가 이순신 장군 일대기에 나와 있어서 "그럼 그 전쟁에 관한 내용도 나오겠지"라고 기대하며 읽었지만 전쟁 중이어서 인지는 모르겠지만 내용이 빠져있어서 조금은 실망했다. 그래도 거북선에 관한 내용이 나와서 좀 더 몰입하며 읽을 수 있었다. 하지만 뒷 내용을 읽을수록 이해하기에는 어려움이 있었다. 왜냐하면 많은 장군들과 인물들이 나와서 혼동이 왔고 지금과 다른 지역의 이름이 많이 언급되어서 이 책의 내용을 이해하기란 여간 어려운 일이 아니었다.

　이순신 장군은 활 쏘는 것을 무척 좋아하는 것 같다. 병사들

이야기 다음으로 많은 것이 '누구와 활 쏘기를 했다', '활을 10순 쏘았다' 등 내용이 많았다. 또한 이순신 장군은 날씨가 안 좋거나 공무가 끝나면 배의 상태를 확인하고 집에 간다는 정도로 배에 대한 애정과 배를 중요시했음을 느낄 수 있다. 이 책을 계속 읽으면서 "전쟁에서 이러이러 했는데 그래서"라는 내용이 있을 것 같았지만 내용이 빠져있어서 아쉬웠으며 이순신 장군이 전쟁 때문에 받는 고충과 스트레스가 이 일기에 다 담겨 있어서 한편으로는 마음이 찡하기도 했으며 존경스러웠다.

책을 읽다 보니 특징을 발견했다. 이순신 장군은 특별한 일이 없는 날에도 '공무를 보았다', '날씨 맑음' 등으로 하루를 간단히 쓰기도 하였다. 이렇듯 일기를 쓸 때 하루를 쓰는 습관을 가지는 것도 좋겠다고 생각되었다. 난중일기를 다 읽고 나니 '이 책을 읽기를 잘했다'라는 생각이 든다. 백성, 장군들, 병사들, 명나라, 왜 등에 대한 이순신 장군의 감정이 구체적으로 나타나면서 내가 이순신 장군이 된 것만 같았다. 마지막 페이지에 이순신 장군의 업적이 나오는데 "와" 감탄만 나올 정도로 위대하고 존경스럽고 놀랍다.

노래

나는 항상 노래를 흥얼거려
투덜대는 노래
행복하다는 노래
힘들다는 노래
웃기다는 노래

내가 정말 가수인 듯이

근데 저 지나가는 행인도
그들의 노래를 흥얼거리는 걸

날아가는 새들도
자신들의 노래를

여기저기서
가지각색으로 자기의 노래를

정말 아름답지 않니?

이 또한 나를 흥얼거리게 만들지

엄 수 연

구월여중 2학년 5반

나를 소개합니다

    안녕하세요 현재 구월여중 2학년 5반의 엄수연입니다.
저의 모습부터 설명하겠습니다. 사실 다른 의미는 없습니다.
그저 제가 미래에 하고 싶은 걸 모두 다 그려 놓았습니다.
나중에는 머리도 염색하고 피어싱도 많이 하고싶습니다.

그림에도 그렇게까지 큰 의미는 없습니다. 그저 평소에 잡생각이 많고 복잡한 저의 머릿속을 그려 보았습니다.

저의 소개를 조금만 더 하자면 저는 검은색, 보라색, 빨간색 등을 좋아합니다. 그리고 웬만한 동물들은 다 좋아합니다. 고양이, 강아지, 새 등 동물을 다 좋아하는 편입니다.

만화책이나 애니메이션 웹툰 등을 듣고 보는 것도 좋아합니다. 이것으로 자기소개를 마치겠습니다.

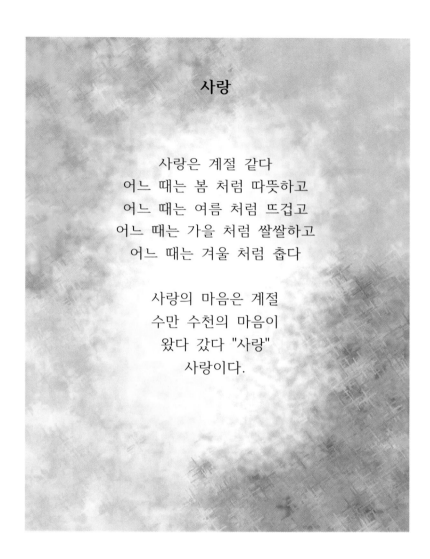

사랑

사랑은 계절 같다
어느 때는 봄 처럼 따뜻하고
어느 때는 여름 처럼 뜨겁고
어느 때는 가을 처럼 쌀쌀하고
어느 때는 겨울 처럼 춥다

사랑의 마음은 계절
수만 수천의 마음이
왔다 갔다 "사랑"
사랑이다.

<살아 가는 건>

사는 건 뭘까

살아 있다는 건
밥을 먹고 숨을 쉬고
잠을 자고 꿈을 꾸고
일을 하고 일을 만들고
무언가를 보고 느끼고
울고 웃고 화내고 싸우고 화해하고
이런 것이 살아 있다는 걸 거야

구르고 기고 걷고 뛰고
이야기하고 이야기를 듣고
혼자서 가족과 친구와
동료와 후배와 선배와
반려자와 애인과 반려동물과
사랑하는 자와 싫어하는 자와
어색한 자와 익숙한 자와
함께 한다는 것 그게
살아 있고 살아 간다는 거 아닐까

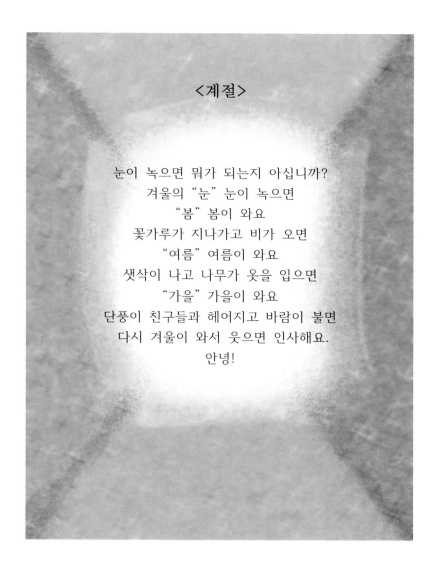

<계절>

눈이 녹으면 뭐가 되는지 아십니까?
겨울의 "눈" 눈이 녹으면
"봄" 봄이 와요
꽃가루가 지나가고 비가 오면
"여름" 여름이 와요
샛삭이 나고 나무가 옷을 입으면
"가을" 가을이 와요
단풍이 친구들과 헤어지고 바람이 불면
다시 겨울이 와서 웃으면 인사해요.
안녕!

김 민 정

구월여중 3학년 5반

<나를 소개합니다>

　말풍선으로 저의 추억과 마음을 담아 표현해 보았습니다. 말풍
선을 감싸고 있는 꽃은 해바라기입니다. 저는 원래 해바라기를
좋아하지 않았습니다. 하지만 Wee클래스 김미연 선생님과의 추
억 덕분에 해바라기를 좋아하게 되었고, 그 추억 덕분에 느꼈던
감정들을 담고 싶어 그리게 되었습니다. 선생님께서 간단한 글귀

와 그림이 이루어진 종이를 복도에 전시하신다는 계획에 대해 알게 된 저는 멋진 작품을 완성하여 전시를 좀 더 풍부하게 만들어 드리고 싶었습니다. 제가 좋아하는 명언과 그림을 그렸는데요. 정말 오랜만에 그림을 그리던 한순간 한순간이 행복했었고, 미소가 떠나가지 않았습니다. 자세히 보시면 넝쿨도 섞여 있는 것을 아실 수 있을 텐데요. 넝쿨은 자라면 자랄수록 더운 단단하고 굵어지는 것처럼 이 추억이 넝쿨처럼 될 수 있도록 함께 그리게 되었습니다. 다음으로는 날고 있는 하얀 새를 보실 수 있는데요, 제가 새를 좋아하기도 하고, 새처럼 하늘을 자유롭게 날아다니는 듯이 살고 싶어서 그렸습니다. 전체적인 모습을 보시면 하얀 새 앞에는 이미 여러 마리의 새들이 있는데요, 이는 앞으로의 목표와 행복을 향해 날아가고 있다는 의미입니다. 그림처럼 '앞으로의 목표와 행복을 이루기 위해 새처럼 날아가자'라는 저의 마음을 투영시켜 봤습니다. 마지막으로 배경이 바다인 까닭은 바다를 좋아하기도 하지만 '바다처럼 깊고 푸른 사람이 되자'라는 의미로 그려봤습니다.

<설탕 한 컵>을 읽고

제목: 설탕 한 컵
저자: 존 푸스
출판사: 달리

 자신이 사랑하는 고양이의 죽음으로 인한 이별의 아픔을 겪은 한 아이의 이야기를 담고 있습니다. 아이의 이름은 애디, 사랑하는 이의 죽음이 처음인 아직 어리고, 순수한 소녀입니다. 누구나 한 번씩은 애디와 같이 누군가의 죽음으로 인한 이별을 겪게 됩니다. 저는 이 죽음에 대한 저의 생각을 적게 되었습니다. 우리에게 있어 죽음이란 멀리 있을 것 같지만 늘 곁에 있으며 익숙해질 수 없는 존재입니다. 그 어떤 누구도 피할 수 없는 인생의 끝입니다. 누구나 죽음이라는 존재를 두려워합니다. 그런데 어떤 이들은 죽음을 두려워하지 않습니다.

왜 그럴까요? 이들 또한 죽음에 대한 두려움을 알고 있습니다. 하지만 동시에 죽음에 대한 중요성을 알기 때문입니다.

인생의 끝이 있다는 사실을 인지하게 됐을 때 우리에게 삶의 의지를 계속해서 만들어 낼 수 있는 자극을 주기 때문입니다. 죽음이라는 것을 너무 부정적으로 생각해서는 안 됩니다. 죽음이 있기에 죽음을 생각해야만 삶을 능동적이고 긍정적으로 살 수 있으며 삶에서 가장 소중한 것이 무엇인지를 우리에게 늘 깨닫게 해줍니다. 결국 죽음이 있기 때문에 우리는 숨이 붙어 있는 지금 이 순간이 얼마나 감사한 일인지를 깨닫고 최선을 다해 살아가야 합니다.

우리는 언젠가 죽는다는 진실을 외면하고 마치 영원히 살 것처럼 오늘을 살지만 내일은 우리에게 주어지지 않을 수도 있습니다. 늘 죽음을 기억하고 오늘도 최선을 다해 하고 싶은 일을 하며 살아가면 좋을 것 같습니다. 이제부터라도 작은 변화라도 좋으니 아침에 일어나면 오늘도 살아있구나에 감사하며 하루를 맞이하는 것은 어떨까요?

<나는요>를 읽고

책 제목 : 나는요
저자 : 김희경
출판사 : 여유당

다양한 동물들이 모두 나와 미소를 짓고 있고 그 사이에서 코뿔소와 한 아이가 서로를 따뜻하게 안아주고 있는 장면이 인상 깊었습니다. 글귀는 없지만 아름답게 조화를 이룬 그림이 있습니다. 글귀보다는 그림이 전해주고자 했던 의미가 깊다고 느껴졌기 때문입니다. 어쩌면 모르고 있었거나 잊고 있었던 '나'의 모습을 독자에게 생각해 볼 여유를 주려는 의도가 아니었을까요? 저는 여기서 조금 더 깊이 생각해서 '나'라는 존재에 중요성을 알려주기 위함이라고 생각합니다. 이 글을 읽고 있는 당신에게 묻겠습니다. 당신은 '나'라는 존재의 핵심을 알고 계시나요? '나'를 표현하는 흔한 답변들을 가만히 들여다보면 부모의 생각이나 책에서 본 가치관, 스승의 신념 등 대부분 타인에게 받은 영향입니다. 하지만 이러한 것들이 아닌 내 '감정'과 '느낌'은 온전히 어김없는 '나'입니다. 그런데 우리가 힘들고 지치고 불안할 때 누군가에게 쉽게 말할 수 없습니다. 왜 마음을 드러내지 못하는 걸까요? 바로 자신의 '감정'을 중요하게 생각하지 않아서입니다. 감정은 나를 솔직하게 표현해 주는 매개체입니다. 내가 힘들다는 감정을 무시한 채 생각으로 해결하려고 외면하면 할수록 내 존재는 없어집니다. 결국 내가 나를 잊어버리게 되는 것입니다. 그렇게 된다면 반드시 우리 몸이나 마음에는 병이 생기게 됩니다. 그렇기 때문에 내 자신의 어떤 것도 잃지 말아야 합니다. 자신을 길을 잊어버린 사람들이 생각보다 많습니다. 자신을 위한 삶이 아니라 다른 사람에게 보여주기 위한 삶, 남이 나를 알아주기를 바라는 삶,

과시하려는 삶 등, 저 또한 '나'를 잊어버려 방황했던 적이 있었습니다. '나' 잊어버리면 안 됩니다. '나'에게 집중을 할 수 있는 시간을 주세요.

<뛰어라 메뚜기>를 읽고

책 제목 : 뛰어라 메뚜기
저자 : 다시다 세이조
출판사 : 보림

'방송통신중학교'에 대해 아시나요? 대부분의 친구들은 방송에 대해 교육할 것 같다는 오해를 받고는 합니다. 하지만 방송통신중학교란 중학교 과정을 온라인 강의와 출석 수업을 통해서 중학교 학력을 얻는 교육기관입니다. 중학교 학력이 없는 성인과 학교 밖 청소년 등 중학교 학력 미취득자에게 학력 취득 기회를 제공하는 곳입니다.

저는 방송통신중학교 학생분들을 도와드리는 '서포터즈'라는 부서에 활동하고 있습니다. 한 달에 2번 토요일마다 어르신분들의 학습을 도와드리는 역할을 합니다. 어르신분들을 보면 제 또래 친구들보다 항상 적극적이고 열정적인 자세로 수업을 열심히 들으시면서 계속해서 질문을 하십니다. 이런 모습을 보면 늘 반성과 다짐을 하게 됩니다. 매번 활동을 할 때마다 새로운 깨달음과 다짐을 통해 성장하게 됩니다.

제가 이 이야기를 왜 했을까요? 제가 말하고 싶은 것은 바로 어르신분들께 존경스러울 정도의 '도전하는 용기'를 알려드리기 위해서입니다. 공부는 언제 시작해도 늦지 않습니다. 단지 꾸준히 하느냐 못하느냐에 차이일 뿐입니다. 무엇보다 도전한다는 용기 자체가 대단하다고 느껴지지 않나요? 이 용기를 많은 분들이 아셨으면 좋겠습니다.

<살아있다는 건>을 읽고

책 제목 : 살아있다는 건
저자 : 다니카와 슌타로, 오카모토 요시로
출판사 : 비룡소

"내 삶은 때론 불행했고, 때론 행복했습니다. 삶이 한낱 꿈에 불과하다지만 그래도 살아서 좋았습니다. 새벽에 쨍한 차가운 공기, 꽃이 피기 전 부는 달큰한 바람, 해 질 무렵 우러나오는 노래 냄새 어느 한 가지 눈부시지 않은 날이 없었습니다. 지금 삶이 힘든 당신이 세상에 태어난 이상 당신은 이 모든 걸 매일 누릴 자격이 있습니다. 후회만 가득한 과거와 불안하기만 한 미래 때문에 지금을 망치지 마세요. 오늘을 살아 가세요. 눈이 부시게 당신은 그럴 자격이 있습니다. 누군가의 엄마였고 누이였고 딸이었고 그리고 나였을 그대들에게 "

2022년 3월 제55회 백상 예술대상, [눈이 부시게] 김혜자 배우님의 수상 소감이 생각이 났습니다. 이렇게까지 감동이 전해진다는 것이 너무나 신비했습니다. 저에겐 사는 것이란 원래 이런 것일까, 사는 게 왜 이렇게 힘들까, 내 인생은 왜 이렇게 허무하고 처참한가, 대체 뭘 위해 살아가는 거지, 지금 포기하면 모든 것이 편해지지 않을까... 이런 생각을 자주 하던 시절이 있었습니다. 그러다 우연히 영상을 발견했고, 알 수 없는 끌림에 이끌려 시청하게 됐습니다. 눈이 부시게 아름다운 김혜자 배우님께서 수상 소감을 말하시는 부분에서 복잡미묘한 감정들이 쏟아졌습니다. 멈춰버린 무언가가 다시 움직이기 시작한 것처럼, 그 누구보다도 그 어떤 말보다도 내 마음을 토닥여 주고 어루만져주는 것 같아 눈물이 얼굴을 뒤덮일 정도로 멈출 줄 모르는 수도꼭지처럼 펑펑 울었습니다. 이렇게까지 따뜻하고 포근한 말을 들었던 순간이 너무 오랜만이라 잊혀질 수 없는 추억이 될 정도였습니다. 삶이 지쳐 번아웃이 올 때마다 이제는 제 곁 있는 친구들과 선생님들을 통해 살아갈 '용기'를 채우며 매일을 최선을 다해 살아가기 위해 힘차게 때로는 천천히 앞으로 나아가고 있습니다. 힘드시거나 지칠 때마다 꼭 한번씩은 들어보세요. 아마 저처럼 '용기'가 생길 거에요..

배드민턴

이 글을 읽을 당신에게 한 가지 묻고 싶습니다.
"당신은 무언가를 위해 미쳐보신 적 있으신가요?"
저는 '배드민턴'이라는 스포츠에 약 3년 동안 미쳐봤습니다.
현재는 배드민턴부의 주장이자 구월여중 배드민턴 대표 선수들 중 하나이며 3년 동안 대회에 출전하여 매년 학교 스포츠 대회에서 2등이라는 결과를 성취하고 있습니다. 전 남들보다 뛰어난 운동신경을 가진 것이 아니었습니다. 오히려 반대였습니다.
체력도 힘도 스피드도 형편없었을 정도였습니다. 전 늘 뒤쳐졌습니다. 처음으로 겪은 처참한 실력 차이를 통해 제가 얼마나 부족한 사람인지를 알았습니다. 그랬기에 더욱 열심히 하기 위해 제대로 미쳐보기로 다짐했습니다. 처음에는 그 누구보다 못했지만 그 누구보다 열심히 꾸준히 나오자는 작은 다짐으로부터 시작하며 남들은 하지도 않았던 자료조사와 이론 공부를 열심히 했습니다. 기본적인 기술부터 시작해서 규칙, 반칙, 훈련 방법 등 다양한 정보들을 수집하며 배드민턴책까지 살 정도였습니다. 미친 사람처럼 배드민턴만 보며 하다 보니 어느새 1년이 훌쩍 지나게 되었습니다. 그 해 겨울에 저의 모습을 보니 무릎은 하루라도 멍들지 않는 날이 없었고, 넘어지는 일이 많다 보니 옷은 헐어 있었을 정도였습니다.

중학교에서 겪는 첫 번째 계절은 초반에는 많이 차갑고, 힘들었지만 두 번째 계절은 지나고 마지막입니다.

124

\<미움받을 용기\>와
\<아들러 심리학을 읽는 밤\>을 읽고

책 제목 : 미움받을 용기
저자 : 기시미 이치로
출판사 : 인플루엔셜(주)

　친구의 추천으로 읽게 된 이 책 덕분에 머나먼 여정을 하고
온 것 같습니다. 처음에 봤을 때 어떤 책인지 전혀 예상되지
않았습니다. 그저 심리학에 관련된 책이라는 점을 빼고는 낯설
고 두려운 존재였습니다. 책을 읽으려고 보면 생각보다 두꺼운
두께에 읽는 것에 대한 거부감이 느껴질 정도였습니다. 평소
가벼운 주제를 담은 얇은 책을 선호하지만 막상 책을 보면 생
소한 '아들러 심리학'을 담은 낯설고 두꺼운 책을 읽는 것은 저
에게 길고도 짧은 여정을 떠나는 것과 다를 바 없었습니다. 다
른 사람들은 금방 읽을 수도 있었겠지만 저는 남들보다 천천히
읽으면서 단어와 문맥을 유심히 보며 읽는 스타일을 가졌습니
다. 책을 읽으면서 기존에 가지고 있었던 심리학에 대한 고정
관념을 무너트리면서 새로운 깨달음을 주었습니다.

고마워, 감사합니다.

김도연에게

조용하지만 의미 깊은 말들을 말하는 모습이 너의 매력이라고 생각해. 시간을 쪼개서라도 활동을 하려는 의지는 나보다 훨씬 더 큰 것 같아. 이 활동을 꾸준히 열심히 나와줘서 고마워.

엄수연에게

매일 구르고 넘어지는 나를 일으켜 세워주면서 걱정해 줘서 고마워. 너가 진심 어린 걱정을 해줄 때면 내 곁에는 나를 지켜주고, 걱정하는 사람들이 있다는 걸 매번 잊고 있다가 네가 알려주는 것 같아. 그런 너가 있기 덕분에 내가 또 다른 의미의 행복을 알 수 있었어.

박수아에게

늘 친구들의 말에 경청해 주고 칭찬해 줘서 고마워. 누가 봐도 '진심으로 열심히 듣고 있구나'를 알 수 있을 정도였거든. 덕분에 나도 이 활동을 더욱 진심으로 활동할 수 있었어.

마민지에게

너의 이야기는 언제나 흥미로웠고, 재미있었어. 때로는 현실적이면 때로는 누구도 상상하지 못했을 말을 할 때면 매번 새로운 생각을 할 수 있었어. 덕분에 더 깊은 생각을 하는 능력을 키울 수 있었던 것 같아, 고마워.

전효리에게
네가 좋아하는 것을 찾고 즐기는 과정을 곁에서 지켜보면서 늘 대단하다고 생각하고 있어. 이 활동이 너에게 도움이 됐을지는 모르겠지만 너에게 고민을 털어낼 수 있었던 시간이었다면 다행이라고 생각해.
1학년 때부터 지금까지 내 친구로 곁에 있어 줘서 고마워.

안예린에게
너의 큰 웃음소리가 나도 함께 즐겁다는 것을 인지하게 해줘. 꿈을 향해 노력하는 모습을 볼 때면 나도 덩달아 열심히 하려는 마음을 다짐할 수 있게 해줘서 고마워. 꿈에 대한 노력이 변하질 않기를 응원할게.

박한서에게
그 누구보다 따뜻하고 어른스러운 너와 대화할 때면 그 시간이 기대되고 기다려질 정도로 행복해.
중학교에서 너와 만나 지금까지 친구라는 사실이 자랑스러울 정도로 내 친구가 되어줘서 고마워.
서로의 마음이 변하지 않기를 노력할게.

김미연 선생님께
약 2년이라는 길고도 짧은 시간 속 선생님과의 만남은 저에게 있어서 또 다른 삶에 대한 행복과 기쁨이었습니다. 이 프로그램은 저에게 있어서 알록달록한 감정들을 친구들, 선생님과 공유를 하며 내면과 외면이 많이 성장할 수 있었습니다. 아마 저뿐만 아니라 이 활동에 참여 친구들 모두가 함께 성장할 수 있게 만들어주셔서 정말 감사합니다.